O Menino
no Espelho

O autor, à época dos acontecimentos
narrados neste romance.

CIP-Brasil. Catalogação-na-fonte
Sindicato Nacional dos Editores de Livros, RJ.

Sabino, Fernando, 1923-2004
S121m   O menino no espelho: romance / Fernando Sabino
72ª ed. – 72ª ed. – Rio de Janeiro: Record, 2005.
    208p.

    1. Romance brasileiro. I. Título.

                        CDD – 869.93
82-0684   CDU – 869.0(81)-31

Capa: Concepção de F. S.
Desenhos e planejamento gráfico: CARLOS SCLIAR

DISTRIBUIDORA RECORD DE SERVIÇOS DE IMPRENSA S.A.
Rua Argentina 171 – Rio de Janeiro, RJ – 20921-380 – Tel.: 2585-2000

Impresso no Brasil

ISBN 85-01-02207-1

PEDIDOS PELO REEMBOLSO POSTAL
Caixa Postal 23.052
Rio de Janeiro, RJ – 20922-970

EDITORA AFILIADA

O Menino no Espelho

Fernando Sabino

O Menino no Espelho

Romance

Desenhos de Carlos Scliar

72ª EDIÇÃO

EDITORA RECORD
RIO DE JANEIRO • SÃO PAULO
2005

SUMÁRIO

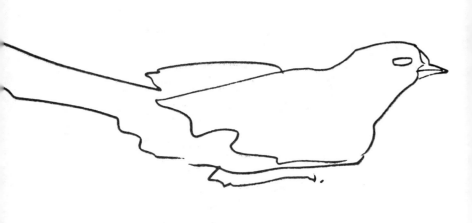

Dedicado à minha irmã Berenice

"O menino é o pai do homem."
WILLIAM WORDSWORTH

O MENINO E O HOMEM

Q<small>UANDO</small> chovia, no meu tempo de menino, a casa virava um festival de goteiras. Eram pingos do teto ensopando o soalho de todas as salas e quartos. Seguia-se um corre-corre dos diabos, todo mundo levando e trazendo baldes, bacias, panelas, penicos e o que mais houvesse para aparar a água que caía e para que os vazamentos não se transformassem numa inundação. Os mais velhos ficavam aborrecidos, eu não entendia a razão: aquilo era uma distração das mais excitantes.

E me divertia a valer quando uma nova goteira aparecia, o pessoal correndo para lá e para cá, e esvaziando as vasilhas que transbordavam. Os diferentes ruídos das gotas d'água retinindo no vasilhame, acompanhados do som oco dos passos em atropelo nas tábuas largas do chão, formavam uma alegre melodia, às vezes enriquecida pelas sonoras pancadas do relógio de parede dando horas.

Passado o temporal, meu pai subia ao forro da casa pelo alçapão, o mesmo que usávamos como entrada para a reunião da nossa sociedade secreta. Depois de examinar o telhado, descia, aborrecido. Não conseguia descobrir sequer uma telha quebrada, por onde pudesse penetrar tanta água da chuva, como invariavelmente acontecia. Um mistério a mais, naquela casa cheia de mistérios.

O maior, porém, ainda estava por se manifestar.

NAQUELE dia, assim que a chuva passou, fui como sempre brincar no quintal. Descalço, pouco me incomodando com a lama em que meus pés se afundavam, gostava de abrir regos para que as poças d'água, como pequeninos lagos, escorressem pelo declive do terreiro, formando o que para mim era um caudaloso rio. E me distraía fazendo descer por ele barquinhos de papel, que eram grandes caravelas de piratas.

Desta vez, o que me distraiu a atenção foi uma fila de formigas a caminho do formigueiro, lá perto do bambuzal, e que o rio aberto por mim havia interrompido. As formiguinhas iam até a margem e, atarantadas, ficavam por ali procurando um jeito

14

de atravessar. Encostavam a cabeça umas nas outras, trocando idéias, iam e vinham, sem saber o que fazer. Algumas acabavam tão desorientadas com o imprevisto obstáculo à sua frente que recuavam caminho, atropelando as que vinham atrás e estabelecendo na fila a maior confusão.

Do outro lado, entre as que já haviam passado, reinava também certa confusão. Enquanto as que iam mais à frente prosseguiam a caminhada até o formigueiro, sem perceber o que acontecia à retaguarda, as ainda próximas do rio ficavam indecisas, indo e vindo por ali, junto à margem, pensando uma forma qualquer de ajudar as outras a atravessar.

Resolvi colaborar, apelando para os meus conhecimentos de engenharia. Em poucos instantes construí uma ponte com um pedaço de bambu aberto ao meio, e procurei orientar para ela, com um pauzinho, a fila de formigas.

Estava empenhado nisso, quando senti que havia alguém em pé atrás de mim. Uma voz de homem, que soou familiar aos meus ouvidos, perguntou:

— Que é que você está fazendo?

Sem me voltar, tão entretido estava com as formigas, expliquei o que se passava. Logo consegui restabelecer o tráfego delas, recompondo a fila através da ponte. O homem se agachou a meu lado, dizendo que várias formigas seguiam por um caminho, uma na frente de duas, uma atrás de duas, uma no meio de duas. E perguntou:

— Quantas formigas eram?

Pensei um pouco, fazendo cálculos. Naquele tempo eu achava que era bom em aritmética: uma na frente de duas faziam três; uma atrás de duas eram mais três; uma no meio de duas, mais três.

— Nove! — exclamei, triunfante.

Ele começou a rir e sacudiu a cabeça, dizendo que não: eram apenas três, pois formiga só anda em fila, uma atrás da outra.

Então perguntei a ele o que é que cai em pé e corre deitado.

— Cobra? — ele arriscou, enrugando a testa, intrigado.

Foi a minha vez de achar graça:

— Que cobra que nada! É a chuva — e comecei a rir também.

— Você sabe o que é que caindo no chão não quebra e caindo n'água quebra?

— Sei: papel.

Gostei daquele homem: ele sabia uma porção de coisas que eu também sabia. Ficamos conversando um tempão, sentados na beirada da caixa de areia, como dois amigos, embora ele fosse cinqüenta anos mais velho do que eu, segundo me disse. Não parecia. Eu também lhe contei uma porção de coisas. Falei na minha galinha Fernanda, nos milagres que um dia andei fazendo, e de como aprendi a voar

16

como os pássaros, e a minha aventura de escoteiro perdido na selva, as espionagens e investigações da sociedade secreta Olho de Gato, o sósia que retirei do espelho, o Birica, valentão da minha escola, o dia em que me sagrei campeão de futebol, o meu primeiro amor, o capitão Patifaria, a passarinhada que Mariana e eu soltamos. Pena que minha amiga não estivesse por ali, para que ele a conhecesse. Levei-o a ver o Godofredo em seu poleiro:

— Fernando! — berrou o papagaio, imitando mamãe: — Vem pra dentro, menino! Olha o sereno!

Hindemburgo apareceu correndo, a agitar o rabo. Para surpresa minha, nem o homem ficou com medo do cachorrão, nem este o estranhou; parecia feliz, até lambeu-lhe a mão. Depois mostrei-lhe o Pastoff no fundo do quintal, mas o coelho não queria saber de nós, ocupado em roer uma folha de couve.

O homem disse que tinha de ir embora — antes queria me ensinar uma coisa muito importante:

— Você quer conhecer o segredo de ser um menino feliz para o resto da sua vida?

— Quero — respondi.

O segredo se resumia em três palavras, que ele pronunciou com intensidade, mãos nos meus ombros e olhos nos meus olhos:

— Pense nos outros.

Na hora achei esse segredo meio sem graça. Só bem mais tarde vim a entender o conselho que tantas vezes na vida deixei de cumprir. Mas que sempre deu certo quando me lembrei de segui-lo, fazendo-me feliz como um menino.

O homem se curvou para me beijar na testa, se despedindo:

— Quem é você? — perguntei ainda.

Ele se limitou a sorrir, depois disse adeus com um aceno e foi-se embora para sempre.

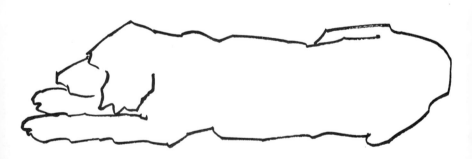

CAPÍTULO I

GALINHA AO MOLHO PARDO

AO CHEGAR da escola, dei com a novidade: uma galinha no quintal.

O quintal de nossa casa era grande, mas não tinha galinheiro, como quase toda casa de Belo Horizonte naquele tempo. Tinha era uma porção de árvores: um pé de manga sapatinho, outro de manga coração-de-boi, um pé de gabiroba, um de goiaba branca, outro de goiaba vermelha, um pé de abacate e até um pé de fruta-de-conde. No fundo, junto do muro, um bambuzal. De um lado, o barracão com o quarto da Alzira cozinheira e um quartinho de despejo. Do outro lado, uma caixa de madeira grande como um canteiro, cheia de areia que papai botou lá para nós brincarmos. Eu brincava de fazer túnel, de guerra com soldadinhos de chumbo, trincheira e tudo. Deixei de brincar ali quando começaram a aparecer na areia uns montinhos fedorentos de cocô de gato. Os gatos quase nunca apareciam, a não ser de noite, quando a gente estava dormindo. De dia se escondiam pelos telhados. Tinham medo de Hindemburgo, que era mesmo de meter medo, um pastor alemão deste tamanhão. Não sabiam que Hindemburgo é que tinha medo deles. Cachorro com medo de gato: coisa que nunca se viu. Quando via um gato, Hindemburgo metia o rabo entre as pernas e fugia correndo.

Pois foi no quintal que eu vi a galinha, toda folgada, ciscando na caixa de areia. Havia sido comprada por minha mãe para o almoço de domingo: Dr. Junqueira ia almoçar em casa e ela resolveu fazer galinha ao molho pardo.

Eu já tinha visto a Alzira matar galinha, uma coisa horrível. Agarrava a coitada pelo pescoço, agachava, apertava o corpo dela entre os joelhos, torcia com a mão esquerda a cabecinha assim para um lado, e com a direita, zapt! passava o facão afiado, abrindo um talho no gogó. O sangue esguichava longe. Ela aparava logo o esguicho com uma bacia, deixando que escorresse ali dentro até acabar. E a bichinha ainda viva, estrebuchando nas mãos da malvada.

Como se fosse a coisa mais natural deste mundo, a Alzira me contou o que ia acontecer com a nova galinha.

Revoltado, resolvi salvá-la.

Eu sabia que o Dr. Junqueira era importante, meu pai dependia dele para uns negócios. Pois no que dependesse de mim, no domingo ele ia poder comer de tudo, menos galinha ao molho pardo.

Era uma galinha branca e gorda, que não me deu muito trabalho para pegar. Foi só correr atrás dela um pouco, ficou logo cansada. Agachou-se no canto do muro, me olhou de lado como as galinhas olham e se deixou apanhar.

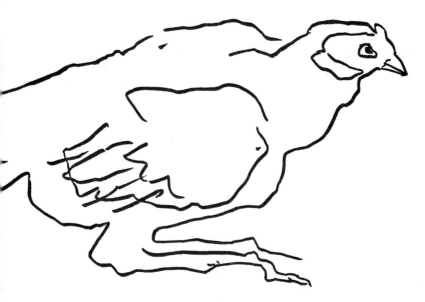

Não sei se percebeu que eu não ia lhe fazer mal. Pelo contrário, eu pretendia salvar a sua vida. O certo é que em poucos minutos ficou minha amiga, não fugiu mais de mim.

— O seu nome é Fernanda — falei então. E joguei um pouquinho de água na cabecinha dela: — Eu te batizo em nome do Pai, do Filho e do Espírito Santo, amém.

Assim que escureceu, ela se empoleirou muito fagueira num galho da goiabeira, enfiou a cabeça debaixo da asa e dormiu. Então eu entendi por que dizem que quem vai para a cama cedo dorme com as galinhas.

NO DIA seguinte era sábado, não tinha aula. Passei o tempo inteiro brincando com ela. Levei horas lhe ensinando a responder sim e não com a cabeça:

— Você sabe o que eles estão querendo fazer com você, Fernanda?

Ela mexia a cabecinha para os lados, dizendo que não.

— Pois nem queira saber. Cuidado com a Alzira, aquela magrela de pernas compridas. É a nossa cozinheira. Ruim que só ela. Não deixa a Alzira nem chegar perto de você.

Ela mexia com a cabecinha para cima e para baixo, dizendo que sim.

— Estão querendo matar você para comer. Com molho pardo.

Os olhinhos dela piscaram de susto. O corpo estremeceu e ali mesmo, na hora, ela botou um ovo. De puro medo.

23

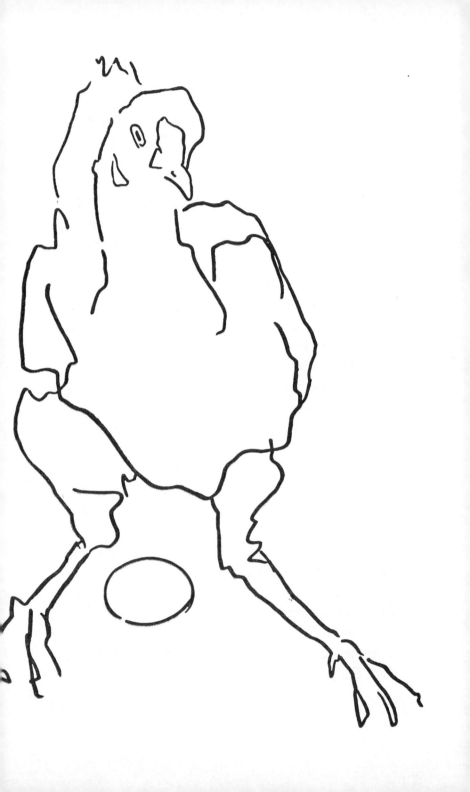

— Mas eu não vou deixar — procurei tranqüilizá-la, apanhando o ovo com cuidado, para enterrar na areia depois e ver se nascia pinto.

E acrescentei:

— Hoje não precisa de ter medo, que o perigo todo vai ser amanhã.

Eu sabia que para fazer galinha ao molho pardo tinham de matar quase na hora, por causa do sangue, que era aproveitado para preparar o molho.

— Vou esconder você num lugar que ninguém é capaz de descobrir.

Junto do tanque de lavar roupa costumava ficar uma bacia grande de enxaguar. A Maria lavadeira só ia voltar na segunda-feira. Antes disso ninguém ia mexer naquela bacia. Assim que escureceu, escondi a Fernanda debaixo dela. Fiquei com pena de deixar a coitada ali sozinha:

— Você se importa de ficar aí debaixo até passar o perigo?

Ela fez com a cabeça que não.

— Então fica bem quietinha e não canta nem cacareja nem nada. Principalmente se ouvir alguém andando aqui fora.

Ela fez com a cabeça que sim.

— Amanhã, assim que puder eu volto. Dorme bem, Fernanda.

Naquela noite, para que ninguém desconfiasse, jantei mais cedo e fui dormir com as galinhas.

25

NA MANHÃ de domingo me levantei bem cedo e fui dar uma espiada na Fernanda. Encontrei a pobrezinha mais morta do que viva debaixo da bacia. Mais um pouco e nem ia ser preciso a Alzira usar o facão. Não sei se por falta de ar, por causa da fome, da sede ou de tudo isto junto: ela estava deitada de bico aberto e os olhos meio fechados de quem já desistiu de viver.

Água era fácil, eu trouxe um pouco numa tigelinha, despejei pelo bico adentro e ela se reanimou.

Mas como arranjar comida sem chamar a atenção de ninguém? Ainda não tinham notado a falta da galinha, nem mesmo pensado em trazer alguma coisa para ela comer. Que diferença fazia? Se ia ser comida naquele dia mesmo?

O jeito foi furtar um pouco do milho do Godofredo, que no seu poleiro, correntinha presa no pé, acompanhava tudo com ar intrigado. A galinha come milho e o papagaio leva a fama! — ele parecia dizer. No que tirei o milho, disparou a berrar:

— Socorro! Socorro! Pega ladrão!

O diabo do papagaio não gostava de mim, eu sabia. Era do Toninho, meu irmão, a quem dava o pé, todo lampeiro, e ainda abaixava a cabecinha para um cafuné. Ai de mim, se quisesse fazer o mesmo: me pespegava uma bicada na mão.

— Cala a boca, Godofredo.

26

— Cala a boca já morreu! Quem manda aqui sou eu!

Joguei na cara dele o resto da água da tigelinha:

— Toma, seu desgraçado, para você aprender.

— Socorro! Socorro! Pega ladrão! — berrava ele, batendo as asas.

Tamanho foi o escarcéu que o Godofredo aprontou, que acabou caindo do poleiro e ficou dependurado pelo pé. Foi o tempo de esconder a Fernanda debaixo da bacia e me escafeder correndo pelo porão adentro. A Alzira já batia os chinelos escada abaixo com suas pernas compridas, faca na mão, à procura da galinha. Ao ouvir aquele berreiro, veio ver o que estava acontecendo:

— Que é que esse bicho tem? Não fala nada que preste e de repente destampa essa gritaria toda!

O papagaio tentava com muito esforço voltar ao poleiro, subindo com a ajuda do bico pela própria correntinha e se balançando de um lado para outro. Olhava com raiva para a cozinheira, como a dizer: essa miserável nem para me dar uma mãozinha. Ela também não achava lá muita graça no Godofredo. Dizia que ele não servia para nada, só sabia sujar de titica o chão todo debaixo do poleiro, e ela é que tinha de limpar.

— Que é que você quer, coisa ruim? Quem é que é ladrão?

O bicho tinha conseguido com muita dificul-

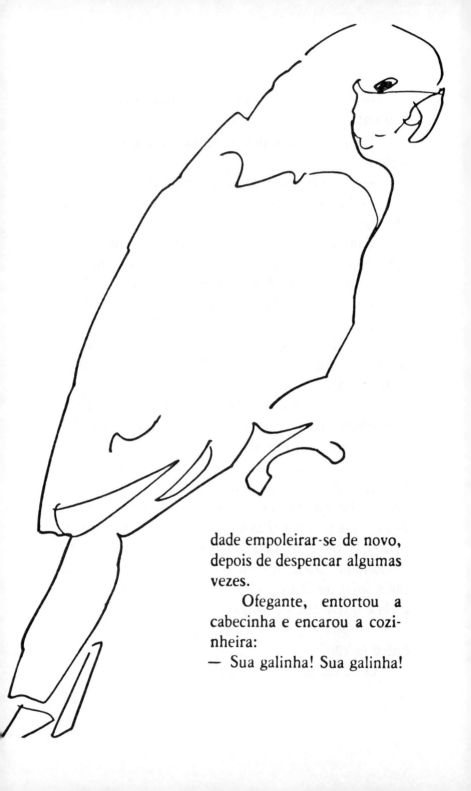

dade empoleirar-se de novo,
depois de despencar algumas
vezes.

Ofegante, entortou a
cabecinha e encarou a cozinheira:

— Sua galinha! Sua galinha!

O Godofredo já havia xingado a Alzira de nomes feios, de modo que ela achou desaforo ser chamada de galinha. E respondeu no mesmo tom, brandindo o facão para o papagaio:

— Galinha é você! Galinha verde!

Lá do fundo escuro do porão, onde tinha ido me esconder, vi a Alzira olhar ao redor:

— Por falar nisso, onde é que se meteu a galinha?

Apavorado, ouvi o Godofredo gritar, com sua voz de currupaco-papaco:

— Na bacia! Na bacia!

Além do mais, era delator, o miserável. Dedo-duro, traidor, entregava ao carrasco o seu próprio semelhante (ou quase). Antes que fosse tarde, saí do meu esconderijo lá no porão, como quem não quer nada, vim me sentar na própria bacia.

— Uai, que é que você estava fazendo ali escondido, Fernando?

— Nada não...

A cozinheira me olhava com ar de suspeita:

— Boa coisa é que não há de ser. Alguma esse menino anda arrumando, com esse ar de cachorro que quebrou a panela.

— Na bacia! Na bacia! — o Godofredo berrava.

— Cala essa boca, seu filhote de urubu! — gritei.

— Na bacia! Na bacia! — ele continuava.

29

— Que é que esse tagarela está falando? — perguntou a Alzira.

— Está te chamando de nabacinha.

— Nabacinha? Que quer dizer isso?

— Quer dizer vagabunda — respondi, a cara mais séria deste mundo.

A Alzira arregalou os olhos, ergueu no ar o facão:

— Vagabunda? Está me chamando de vagabunda? Nabacinho é você, seu bicho ordinário! Não sei onde estou que não te corto o pescoço, asso no espeto e como, ouviu? E ainda chupo os ossinhos um por um!

Ela correu de novo os olhos em torno:

— Por falar em comer: quéde a galinha? Já está na hora de fazer o almoço. Onde é que ela se meteu?

— Não sei...

— Você não estava brincando com ela ontem, menino?

— Isso foi ontem. Hoje eu não vi ela ainda

— Será que fugiu? Ou alguém roubou?

E ela olhou para o papagaio, cismada agora com o silêncio dele:

— Vai ver que é por isso que esse nabacinho de uma figa estava gritando pega ladrão. Algum ladrão de galinha.

Agarrei a idéia no ar, era a salvação:

— Isso mesmo! Quando eu estava ali no quintal vi um homem passar correndo... Levava uma coisa escondida embaixo do paletó. Só podia ser a galinha.

A Alzira não parecia acreditar muito na história. Pelo contrário, ficou mais desconfiada. E naquele exato momento a Fernanda resolve se mexer debaixo da bacia, fazendo um barulhinho na lata com o bico e com os pés. Continuei sentado e, para disfarçar, comecei a bater com os dedos na bacia como se tocasse tambor. A galinha deve ter entendido, pois logo ficou quieta. Mas a Alzira continuava com ar de desconfiança:

— Esse menino está com um jeito muito velhaco. Sei não... Alguma ele andou fazendo.

E saiu pelo quintal, à procura da galinha, olhando aqui e ali: nos galhos das árvores, atrás do barracão, no meio dos bambus. Depois foi contar para mamãe que a galinha havia sumido.

Fui atrás, para o que desse e viesse. Escutei tudo. Mamãe torcia as mãos:

— E agora, como vai ser? Como é que ela foi sumir assim, sem mais nem menos?

— Sei lá — respondeu a Alzira: — Não acredito que tenham roubado, como diz o Fernando. Vai ver que saiu voando e pulou o muro. Bem que eu pensei em cortar as asas dela e me esqueci. Agora é tarde.

E a cozinheira me apontou:

— Para mim, a gente anda precisando de cortar as asas é desse menino.

— Está quase na hora do almoço — disse minha mãe: — O Dr. Junqueira está para chegar de uma hora para outra, e como é que a gente vai fazer sem a galinha? O Domingos vai ficar aborrecido.

Dali a pouco era o meu pai quem chegava da rua, trazendo o jornal de domingo debaixo do braço. Quando mamãe lhe deu a triste notícia, para surpresa minha e dela, ele não se aborreceu:

— Faz outra coisa. Macarrão, por exemplo. O Dr. Junqueira é bem capaz de gostar de macarrão.

E foi ler o jornal na varanda.

Filho de italiano, quem gostava de macarrão era ele. E da macarronada que a Alzira fazia todo mundo gostava.

Pois o Dr. Junqueira não só gostou, como repetiu duas vezes, para grande satisfação de mamãe. Papai abriu uma garrafa de vinho daquelas de cestinha de palha, e os dois a esvaziaram, depois de dar um pouquinho para mim e meus irmãos, com água e açúcar. Guardanapo enfiado no colarinho, o Dr. Junqueira limpou os bigodes, satisfeito:

— Ainda bem que era essa macarronada tão boa. Eu estava com medo que fosse galinha. Se tem uma coisa que eu detesto é galinha. Principalmente ao molho pardo.

NEM POR ISSO senti que minha amiga Fernanda não estava mais condenada à morte. Mesmo porque, meu pai gostava também de galinha, com ou sem o Dr. Junqueira. Por outro lado, ela não podia ficar escondida o resto da vida (eu não tinha a menor idéia de quanto tempo vivia uma galinha). E na manhã seguinte a Maria viria lavar roupa, ia descobrir a Fernanda encolhida debaixo da bacia.

Depois que o almoço terminou e o Dr. Junqueira se despediu, fui lá perto do tanque fazer uma visitinha a ela, resolvido a ganhar tempo:

— Você hoje ainda vai dormir aí, mas amanhã eu te solto, está bem?

Ela fez que sim com a cabeça. Deixei água na tigelinha e mais um pouco de milho furtado de novo do Godofredo. Antes que o diabo do papagaio pusesse a boca no mundo eu avisei:

— Se você falar alguma coisa, mando a Alzira fazer papagaio ao molho pardo para o jantar.

Ele fez cara de quem comeu e não gostou, mas ficou calado, vai ver que pensando um jeito de se vingar.

De manhãzinha, antes que a Maria lavadeira chegasse, fui até lá, levantei a bacia e peguei a Fernanda, procurei mamãe com ela debaixo do braço:

— Olha só quem está aqui.

Mamãe se espantou:

— Uai, ela não tinha sumido? Onde é que você encontrou essa galinha, Fernando?

De repente seus olhos se apertaram num jeito muito dela, quando entendia as coisas: havia entendido tudo. Antes que me passasse um pito, eu avisei:

— Se tiverem de matar a minha amiga, me matem primeiro.

Mamãe achou graça quando soube que ela se

chamava Fernanda e resolveu não se importar com o que eu tinha feito, pelo contrário: deixou que a galinha passasse a ser um de meus brinquedos. Só proibiu que eu a levasse para dentro de casa. Fernanda me seguia os passos por toda parte, como um cachorrinho.

E ela continuou minha amiga, até morrer de velha, não sei quanto tempo mais tarde.

Só sei que alguns dias depois do almoço do Dr. Junqueira, mamãe comprou um frango.

— Esse vai se chamar Alberto — eu disse logo.

— Pois sim — disse minha mãe, e mandou que a Alzira tomasse conta do frango.

No dia seguinte mesmo, no almoço, comemos o Alberto. Ao molho pardo.

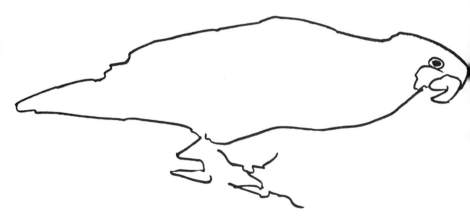

CAPÍTULO II

O CANIVETINHO VERMELHO

TODA semana eu ganhava de minha mãe dois mil-réis para ir ao cinema. Dava para pagar a entrada, o bonde na ida e na volta, e ainda sobrava para comprar um picolé (ou um saco de pipocas).

Eu costumava assistir aos domingos, na matinê do cinema Avenida, a animada sessão de bangue-bangue. A molecada vibrava assim que as luzes se apagavam, preparando-se para acompanhar as cenas mais emocionantes, com uma gritaria de fazer o cinema vir abaixo.

Naquele dia, quando entrei, a fita já havia começado. Não vi os letreiros do princípio, de modo que não cheguei a saber nem como se chamava. Estranhei o silêncio ali dentro, como se não houvesse ninguém na platéia. Depois de me ajeitar no escuro, procurei prestar atenção na tela.

Não sei por que diabo passavam naquele dia um filme diferente, sem bandido nem mocinho, tiroteios ou perseguições a cavalo. Era uma história esquisita, meio difícil de entender, passada na Inglaterra: a de um homem que fazia milagres.

Estavam ele e mais dois companheiros num bar, discutindo sobre a existência ou não de milagres. Depois que os outros foram embora, o homem, já meio tonto de tanta cerveja que havia tomado, levanta a cabeça tombada na mesa e fala, apontando o lustre do bar:

— Milagre para mim é se aquele lustre virasse de cabeça para baixo.

Na mesma hora o lustre vira de cabeça para baixo.

Ele fica impressionado com aquilo, sai do bar e vai cambaleando pela rua, apoiado na sua bengala. De repente a bengala fica presa pela ponta num ralo de bueiro, em pé sem que ele a segure, como se fosse uma árvore. Então ele ordena, a rir:

— Pois que vire logo uma árvore!

Na mesma hora a bengala se transforma numa árvore, cada vez mais alta, cheia de galhos que crescem para cima e para os lados. Ele ri às gargalhadas do milagre que acabou de fazer, quando surge um guarda no maior espanto:

— Que árvore é essa aí, que não tinha antes?

Ao ver o homem, acha suspeito o jeito dele, resolve prendê-lo porque parece embriagado. Mas o homem se livra do guarda com um safanão, falando:

— Vai para o inferno!

O guarda sobe feito um foguete em direção ao inferno (apesar do inferno, naturalmente, ser para baixo). Ele mal tem tempo de corrigir, com pena do guarda:

— Para o inferno não! Para a Califórnia!

Aí o filme mostra uma confusão dos diabos no trânsito de uma cidade da Califórnia, nos Estados Unidos, acho que Los Angeles. Os guardas americanos abrem caminho para ver o que está acontecendo, e encontram um policial inglês solene e empertigado, farda preta e capacete alto, que tenta comandar o tráfego, perdido no meio dos automóveis.

No dia seguinte o homem, que trabalha numa loja de fazendas, recebe ordem do patrão para que não vá embora enquanto não arrumar tudo direitinho. Ele passou o dia desenrolando peças de fazenda para mostrar às freguesas, e agora estão todas as peças espalhadas, na maior desarrumação. Sozinho na loja, cansado, doido para ir embora, olha desanimado ao redor, quando se lembra do poder de fazer milagres.

Foi só bater palmas mandando que tudo voltasse ao seu lugar, e as peças de fazenda começam a se enrolar sozinhas, voando até encontrar seus lugares nas prateleiras. E a loja fica arrumadinha.

Depois de mil e uma peripécias, o homem que faz milagres resolve usar o seu poder para consertar o mundo logo de uma vez, acabar com as guerras e as injustiças, fazer com que todos os países vivam em paz. Então convoca para uma reunião os reis, presidentes, ministros, generais, todos os que mandam nos povos do mundo inteiro. Bastava pensar nesse ou naquele, e cada um ia aparecendo.

Quando estão todos reunidos, o homem que faz milagres ordena que eles acabem com os desentendimentos de uma vez por todas, façam as pazes e não briguem mais.

Mas eles não estão de acordo com aquilo, começam a discutir, ninguém se entende, e o homem acaba perdendo a paciência:

— Já que vocês não se emendam — grita ele — então que este mundo acabe de uma vez!

No que fala isto, o mundo se abre como se tivesse explodido. Todos saem voando pelos ares, entre casas, automóveis, árvores, vacas e tudo mais. Rolando no espaço, desesperado, o homem ainda tem tempo de pedir:

— Que tudo volte a ser como era antes do primeiro milagre!

Na mesma hora ele se vê no bar, levantando a cabeça da mesa e olhando para o lustre:

— Milagre para mim é se aquele lustre virasse de cabeça para baixo.

40

O lustre continua imóvel, sem se mexer. E o filme acaba.

FUI para casa impressionado com a história dos milagres. De noite, na cama, continuei pensando no filme, sem conseguir dormir. O que me intrigava era a espécie de milagres que o homem pedia: tudo bobagem, a bengala virar árvore, salvar o mundo, coisas assim. Comigo, seria diferente. Eu haveria de pedir outros milagres. Como, por exemplo...

— Apaga essa luz que eu quero dormir.

Era o Toninho. Dormíamos no mesmo quarto. Mais velho do que eu, já estudava no turno da manhã, tinha de acordar cedo. Era assim quase toda noite: eu gostava de ler antes de dormir, e ele pedindo que apagasse a luz. O botão ficava perto da minha cama.

E então aconteceu.

A luz se apagou sozinha, quando olhei para ela como fez o homem no filme e experimentei ordenar que se apagasse. Não precisei pronunciar uma única palavra: foi só pensar e ela se apagou.

Toninho, virado para o outro lado, não chegou a perceber nada. Certamente achou que eu me levantei e fui até a parede apagar a luz, como fazia sempre.

Fiquei deslumbrado: quer dizer que eu também podia fazer milagres! Para tirar qualquer dúvida, ordenei mentalmente que a luz se acendesse de novo. E ela se acendeu.

— Que brincadeira é essa? — exclamou o Toninho, virando-se na cama, os olhos cheios de sono: — Fica acendendo e apagando a luz! Apaga de uma vez!

Para que ele não desconfiasse, tornei a apagar a luz, desta vez por mim mesmo, sem milagre nenhum.

Nem voltei para a cama. De pé, no escuro, mandei que a noite se acabasse e o dia nascesse de uma vez. E vi pela janela o céu começar a clarear rapidamente, o sol subindo no horizonte como um balão. Toninho se ergueu na cama, esfregando os olhos:

— Puxa, como eu dormi! Já deve ser tarde, vai ver que perdi a hora.

E vestiu correndo o uniforme do colégio.

Depois de me vestir também, saí para o quintal, disposto a iniciar a minha vida de milagres. O primeiro que fiz foi ao dar com a Fernanda:

— Gosto tanto de você, Fernanda, que vou fazer aparecer uma porção de galinhas iguais a você aqui no quintal.

No mesmo instante o quintal se encheu de galinhas, todas parecidas, a ponto de eu não saber qual era a Fernanda. Eram todas do mesmo tamanho e da mesma cor. Naquele momento a Alzira cozinheira surgiu na escada da cozinha para bisbilhotar, como fazia sempre, e depois ir contar para mamãe. Esbugalhou os olhos, levantou os braços e quase caiu para trás, ao ver tanta galinha. Embarafustou-se pela casa adentro, a gritar:

— Dona Odete! Acode, dona Odete! Vem ver uma coisa!

Sem perda de tempo, mandei que as galinhas sumissem, só ficasse a Fernanda. Quando a Alzira voltou, acompanhada de mamãe, só havia uma galinha ciscando distraída na caixa de areia, como de hábito.

— Onde é que você viu tanta galinha, Alzira? Ficou maluca? — e minha mãe sorriu, balançando a cabeça.

A Alzira olhava o quintal, com cara mesmo de maluca:

— Eram mais de mil! Agorinha mesmo, não faz nem um minuto! Eu vi! Juro pelo que há de mais sagrado!

Resolvi pensar um pouco, antes de fazer outras proezas. O meu poder tinha de ser bem aproveitado. Eu não sabia se ia usá-lo o tempo que quisesse ou só para certo número de milagres. O jeito era usar o próprio poder para ficar sabendo.

— Quantos milagres eu posso fazer? Dura o tempo todo, esse poder, ou acaba de uma hora para outra?

Ninguém me respondeu. Não havia ninguém mesmo para responder, a não ser o Godofredo, e que é que um papagaio entende de milagres? Eu não sabia nem mesmo a quem me dirigir. Se fosse Deus que tivesse me dado aquele poder, Ele também não respondeu. Com certeza não estava querendo se comprometer.

— Então está bem — concluí: — Vamos tirar o melhor proveito disso.

UM DOS sonhos da minha vida era ter em casa uma piscina. Tinha aprendido a nadar, já havia disputado mesmo uma competição na piscina do Minas Tênis Clube, categoria de petiz, pretendia me tornar campeão, nadando no mínimo tão bem como Tarzã. Gostava também de mergulhar, embora achasse que o fôlego mal dava para a gente se distrair debaixo d'água, não mais que um minuto e pouco. Agora, poderia fazer o milagre de ficar sem respirar o tempo que quisesse.

E mais: sempre imaginei uma piscina que tivesse numa de suas paredes um túnel para, através dele, chegar a um esconderijo que fosse só meu, um lugar que só eu soubesse existir. Uma espécie de salão subterrâneo sem outra entrada que não fosse pelo túnel debaixo d'água. Lá dentro eu teria todas as coisas de que mais gostava: meus brinquedos, meus livros, meu futebol de botão, minhas bolas de gude, minha coleção de selos, de figurinhas, de marcas de cigarro. Tudo ali era automá-

44

tico: bastava apertar um botão e se abria uma jane-linha na parede, aparecia um cachorro-quente; vá-rias torneirinhas comandadas por botão deixavam escorrer groselha, soda-limonada, guaraná, laran-jada e tudo quanto é espécie de refrescos. Haveria a qualidade e a quantidade que eu quisesse de sor-vete, doce, bala, bombom. Puxando uma alavanca, eu fazia o teto se abrir numa espécie de clarabóia, por onde podia ver o céu e até empinar um papa-gaio. Teria um telescópio também, dos mais pos-santes do mundo, para ver a lua e as estrelas. E tudo que eu quisesse.

Era o que eu imaginava na cama, antes de dormir, sem acreditar que um dia tudo viesse a ser realidade. Ali estava a oportunidade, e não perdi tempo: mandei que a caixa de areia virasse uma piscina, com tudo o que eu tinha imaginado.

O susto que a Fernanda levou quase me mata de rir: a coitada mal teve tempo de saltar para a terra, quando viu a areia em que pisava se conver-ter na água azul de uma bela piscina.

Tirei a roupa e pulei de cabeça.

Logo encontrei o túnel, que era curto como eu tinha previsto, uns três metros de comprimento. Foi fácil atravessá-lo debaixo d'água. Uma curva para cima, como eu tinha imaginado, levou-me à saída, que era uma espécie de poço no chão, com uma escadinha de metal, dessas que toda piscina tem. Encontrei toalhas para me enxugar e um roupão para vestir. Eu ria de felicidade: tudo o que eu queria ali estava. Aquele era o meu mundo, o meu domínio, a que só eu tinha acesso. Eu me sentia um verdadeiro rei.

Tinha de tomar cuidado para que não descobrissem o meu segredo. Ninguém acredita em milagres. E eu não sabia como usar o meu poder para não deixar que ficassem sabendo. Ao voltar para o quintal através da piscina, vi no alto da escada da cozinha, a Alzira estatelada de espanto. Ao dar por mim, ela entrou correndo pela casa adentro:

— Socorro, dona Odete! Deus nos acuda! Vem ver uma coisa!

Mamãe veio com ela e, como da outra vez, não viu nada: eu já havia mandado que a piscina voltasse a ser uma simples caixa cheia de areia.

— Essa mulher não está boa da bola — mamãe comentou, resignada: — Onde é que você viu piscina?

A Alzira agitava os braços para o céu, aparvalhada:

— Sou capaz de jurar! Sou capaz de jurar!

Passei o dia inteiro experimentando com cautela o meu poder. Ordenei que o dia se convertesse em feriado, para não precisar de ir à escola. Em pouco era o Toninho que regressava do colégio, todo satisfeito:

— Suspenderam as aulas. Hoje é feriado.

— Feriado como? — estranhou minha mãe.

46

— Sei lá — disse ele: — Dia santo, acho.

— Dia santo? — mamãe estranhou mais ainda: — Que santo é esse, que eu não estou sabendo?

— Dia de São Nunca, mamãe — informei, satisfeito.

E fui para o quarto fazer a lista das coisas que eu queria que acontecessem, para experimentar uma por uma. A primeira delas...

BEM, aí é que estava o problema, tantas foram as idéias que me vieram ao mesmo tempo. Uma, por exemplo, que foi sempre um grande sonho meu: ficar invisível. Mas, pensando bem, para que eu queria ficar invisível? Que vantagem havia no fato de não ser visto pelos outros? A única que me ocorreu foi a de entrar no cinema sem pagar. Mas corria o risco de alguém se sentar em cima de mim, pensando que a poltrona estivesse vazia.

Em todo caso, fui ao espelho e falei para a minha imagem:

— Fique invisível!

O susto da minha vida: na mesma hora vi a minha roupa vazia, flutuando no ar, os meus sapatos se mexendo sozinhos, as calças sem minhas pernas dentro, as mangas da blusa sem braços, a gola sem pescoço e eu sem cabeça. Era mesmo para assustar qualquer um! Já ia tirar a roupa toda para que desaparecesse até a forma do meu corpo, mas achei mais prático fazer a roupa se tornar invisível também. Não seria nada engraçado se tivesse de voltar a ficar visível e aparecesse pelado na vista de todo mundo.

Senti uma grande aflição quando não vi mais nada diante do espelho. Tive que me apalpar para saber que ainda estava ali.

Saí do quarto e fui ver o que acontecia. Passei pela minha mãe na sala e ela olhou através de mim como se eu não existisse. Não resisti e chamei-a:

— Mamãe...

Ela olhou em direção à minha voz:

— Fernando? Onde é que você está?

— Aqui... — e fui me colocar às suas costas.

Ela se voltou na cadeira:

— Aqui onde? Por que você está se escondendo?

Ao ouvir de novo minha voz, vinda agora de outra direção, ela se levantou, desnorteada, deu uma volta completa com o corpo, inspecionando a sala inteira. Depois se curvou para olhar debaixo da mesa:

— Onde é que se meteu esse menino, minha Nossa Senhora.

Embarafustei-me rindo pelo corredor adentro, fui até a cozinha. Dei com a Alzira de costas para mim, diante do fogão. Fiquei rente dela, e comecei a destampar as panelas, para ver o que tinha dentro.

Nem cheguei a ver: ela soltou um berro e pulou para trás, ao dar com as tampas se erguendo no ar. Então peguei numa panela pelo cabo e a levei até a mesinha ao lado da pia. Ela acompanhou com olhos arregalados a panela no ar, botou a boca no mundo:

— Te esconjuro! Virgem Santíssima, tem dó de mim! Essa casa tá mal-assombrada!

E disparou em direção à porta dos fundos, levando um trambolhão ao esbarrar de cheio em mim:

— Ui, que é isso? Ai, meu santo, tem demônio aqui pra todo lado!

Num segundo ela despencava escada abaixo, indo se refugiar no seu quarto. Refeito do susto que levei eu próprio, quando ela quase me atirou ao chão, fui atrás. Por pouco não atropelo a Fernanda, que estava no meio do quintal, e não se afastou para me dar passagem. Pela janelinha do barracão vi a cozinheira ajoelhada no chão diante de um santinho pregado na parede, fazendo o nome-do-padre, um atrás do outro.

Antes de reaparecer, resolvi ainda passar um susto no Godofredo. Cheguei bem pertinho do poleiro e o papagaio ficou com aquele olhar parado assuntando o ar, como se tivesse ouvido algum barulhinho. Quando ia cutucá-lo com o dedo, para derrubá-lo do poleiro, o miserável virou rápido a cabeça e me deu uma bicada na mão. Quem se assustou fui eu:

— Desgraçado, você me paga por essa papagaiada.

Chegou a sair sangue. Como é que ele teria me visto?

Só quando voltei ao meu quarto, antes de me tornar visível, é que reparei que o dedo ficou sujo de fuligem quando mexi nas panelas.

PENSEI em experimentar outros milagres: ler o pensamento das pessoas, adivinhar o futuro, voltar ao passado, enxergar através das paredes, diminuir ou aumentar de tamanho como Alice no País das Maravilhas, ouvir de longe o que os outros falavam, ver à distância como um binóculo, enxergar micróbios como num microscópio, ter a força do Super-Homem, e outras coisas fantásticas que sempre senti vontade de fazer. Mas tudo isso agora me parecia bobagem. Que adiantava saber o que os outros pensavam, ou estavam fazendo atrás das paredes, ou falando longe de mim?

Mas da idéia do Super-Homem passei a outra, esta sim, absolutamente sensacional: eu queria conhecer ao vivo um dos meus heróis, Tarzã em pessoa!

— Quero conhecer Tarzã.

No mesmo instante ouvi lá fora o famoso grito do Filho das Selvas, tão meu conhecido e impossível de ser imitado:

— Oôôôiôiiiôiôôôu!

Era o mesmo grito com que ele chamava Tantor, o elefante, nos momentos de perigo. Ouvi uns guinchos e dei com a Chita a meu lado, puxando-me o braço. A macaca me levou até o quintal e lá estava Tarzã, enorme, colossal, à minha espera. Abaixando-se, mandou que eu subisse às suas costas. Num salto se dependurou num galho da mangueira, dali para outro galho mais alto, outro ainda, e lá fomos nós, Tarzã já se balançando num cipó comigo às costas, lançando-se no ar, entre as folhas verdes e os galhos das árvores de uma imensa floresta. Para onde estaria me levando? Eu abria bem os olhos, para não perder nada daquele passeio pela selva, nas costas de Tarzã. Aquilo era mais assustador que a montanha-russa, eu morria de medo de cair e me esborrachar lá embaixo. Mal conseguia me segurar nos ombros largos e suados do Homem-Macaco.

E o pior é que ele começou a sentir cócegas. À medida que minhas mãos iam escorregando em suas costas ele se sacudia todo, rindo cada vez mais. Eu é que não achava graça nenhuma, quase me despencando daquela altura. Já havia imaginado Tarzã nas situações mais fantásticas, mas nunca rindo às gargalhadas.

Antes que caísse ali de cima, mandei que ele se transformasse num pára-quedas. E vim descendo de mansinho, como se tivesse saltado de um avião, até cair no quintal da minha casa.

Estava decepcionado com Tarzã: só não mandei que fosse para o diabo porque me lembrei do guarda naquele filme. Mas eu era mais poderoso, eis tudo. Era capaz de fazer mais prodígios do que ele, até do que Mandrake.

Seria mesmo?

Resolvi convocar o famoso mágico. Ele logo me apareceu com a sua capa preta e cartolinha na cabeça. Tinha o ar cansado e sua casaca me pareceu meio velha e surrada, como a de um mágico de circo. Vinha seguido de Lotar, seu fiel ajudante. Preferi dispensar o negrão:

— Você não. Pode ir embora.

Lotar fez uma curvatura em despedida e se evaporou no ar. Então perguntei ao Mandrake:

— Quem é mais poderoso? Quem faz mágicas ou quem faz milagres?

— Quem faz milagres — respondeu ele modestamente.

— Então sou mais poderoso que você.

— Não, porque o seu poder vai acabar, e o meu vai continuar eternamente.

— Como é que você sabe?

— Sei, porque o meu mundo é o das figurinhas, onde tudo dura para sempre, ao passo que, no seu, tudo começa e acaba.

Agarrei-me à sua mão, ansioso:

— Quando é que vai acabar o meu poder de fazer milagres?

— Quando você quiser.

— Nunca vou querer.

— É o que você pensa.

— Então faz uma mágica bem boa para mim

Ele tirou a cartola, me olhou no fundo dos olhos, como se estivesse me hipnotizando, e falou:

— Meta a mão nesta cartola, que tem uma coisa para você.

Fiz como ele mandava e tirei da cartola um canivetinho vermelho. Tinha várias lâminas e até uma tesourinha, mas não passava de um canivete. Achei aquela mágica meio boba. Em todo caso, era um presente dele — embora eu, com o meu poder milagreiro, pudesse conseguir coisa mil vezes melhor.

Sem uma palavra, ele botou a cartola na cabeça, fez meia-volta e se afastou, saindo para a rua pelo portão da frente, como uma pessoa qualquer.

FIQUEI impressionado com o que o Mandrake me havia dito. A minha sensação era de que o poder de fazer milagres ia se acabar de uma hora para outra. Por via das dúvidas, resolvi empurrar a noite mais para diante e fazer ainda um grande milagre naquele dia.

Qual podia ser?

De súbito me ocorreu uma idéia, saltei de alegria:

— Eu quero visitar o Sítio do Pica-pau Amarelo!

No mesmo instante me vi andando por uma estradinha, passei por uma porteira, e lá estava a Narizinho Arrebitado sentada nos degraus da varanda do famoso sítio, tendo Emília a seu lado. Mandei que a tarde se prolongasse o tempo que eu quisesse e passei toda ela conversando com aquele pessoalzinho, um por um. O Visconde de Sabugosa me pareceu muito mais engraçado pessoalmente que nos livros. Veio me cumprimentar todo emproado, tirando a cartolinha num salamaleque:

— Bem-vindo a esta casa, Dom Fernando.

O Marquês de Rabicó me espiava de longe, meio encafifado com a minha aparição, mas acabou se chegando, a mexer no ar o seu rabinho de sacarolha. Depois Dona Benta veio me oferecer umas mães-bentas e uma deliciosa xícara de chocolate. Tia Anastácia estava resmungando lá na cozinha, até parecia a Alzira, só que era preta e gordona. Estava se queixando do Pedrinho, que certamente fizera mais uma de suas travessuras.

Quando me viu, Pedrinho me chamou de lado e perguntou se era verdade que eu sabia fazer milagres.

— Mais ou menos — respondi, encabulado.

— Eu queria que você fizesse um para mim —

pediu ele: — É por causa da tia Anastácia. Ela não acredita que a terra é redonda e que os japoneses estão de cabeça para baixo, só não caem por causa da atração da Terra.

Com o ar superior de quem sabe as coisas, falei:

— É a lei da gravidade. É só acabar com ela, para ver o que acontece.

Não era propriamente uma ordem, nem mesmo um pedido de milagre, mas soou como se fosse. E de repente Pedrinho à minha frente, eu, Narizinho na varanda, a varanda, o sítio inteiro com a Emília, o Visconde, o Marquês, a Dona Benta, a tia Anastácia, as árvores, as casas, tudo saiu voando pelos ares como numa tremenda ventania. Me lembrei do filme sobre o homem que fazia milagres e, entre duas cambalhotas, mal tive tempo de fazer como ele, pedir depressa para acabar com aquilo, voltar ao que era antes dos milagres.

— Apague essa luz que eu quero dormir.

Era a voz do Toninho. Abri os olhos e vi que eu estava na cama, pronto para dormir. Olhei intensamente para a luz e mandei que ela se apagasse. Nada aconteceu. Então fui até lá e apertei o botão. Voltei para a cama e em pouco tempo estava dormindo.

Ao acordar, mal me lembrei dos milagres, senão de maneira confusa, como se tudo não tivesse passado de um sonho. Mas depois de vestir a roupa, ao meter a mão no bolso da calça, encontrei um objeto, retirei para ver: era um canivetinho vermelho.

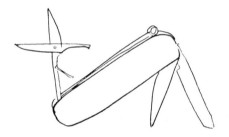

CAPÍTULO III

COMO DEIXEI DE VOAR

NAQUELE tempo os aviões se chamavam aeroplanos. Era só passar um avião e eu saía no meio da molecada, em algazarra pela rua, apontando o céu e gritando:

— Aeroplano! Aeroplano!

Ouvindo a gritaria, os mais velhos se debruçavam nas janelas e olhavam para cima, procurando ver também.

Não eram aviões grandes nem de metal como os de hoje, mas teco-tecos de madeira e lona, duas asas de cada lado, uma em cima da outra, presas com arames cruzados. Nele só cabiam dois aviadores que a gente podia ver, a cabecinha de fora, com

um gorro de couro e óculos tapando os olhos para não entrar poeira.

Uma vez papai nos levou ao campo de aviação do Prado para ver as acrobacias. Eu mal conseguia pronunciar essa palavra, quanto mais saber o que ela significava.

Foi um deslumbramento.

Eram dois ou três aviõezinhos: levantavam vôo como se fossem de brinquedo e faziam piruetas, voavam de cabeça para baixo, desciam, quase se arrastavam no chão e tornavam a subir.

Um deles começou a soltar fumaça, fazendo letras no ar, escrevendo palavras inteiras.

59

A certa altura dois aviões passaram a voar jun-
tinhos, um em cima do outro, quase se esbarrando.
Então um dos aviadores do que estava embaixo realizou a proeza máxima, eu não podia acreditar no
que meus olhos viam: saiu do seu buraquinho no
avião e foi se agarrando pelo lado de fora, subiu na
asa e se dependurou nas rodas do outro! Depois
montou no eixo como se estivesse fazendo ginástica
numa barra, pernas para o ar, passou para a asa de
baixo, agarrado na de cima, e foi assim que voltou à
terra, triunfante, até o avião pousar.

Fizeram mil outras façanhas de encher os
olhos.

De repente, a multidão que assistia ao espetáculo aéreo, dentro e fora do campo de pouso do
Prado, soltou um grito: um dos aviões que acabara
de passar baixinho em cima de nossas cabeças não
conseguiu ganhar altura e foi cair lá fora, no des-
campado, para os lados do Calafate.

Um caminhão partiu em disparada para o local. Em pouco voltava, trazendo os destroços do
avião e os dois pilotos, um deles bastante machucado (pude vê-lo encolhido ao lado do motorista, com
o rosto ensangüentado). Os mais velhos diziam ao
redor, sacudindo a cabeça, admirados, que ele tinha
nascido de novo.

O desastre não chegou a me impressionar. Do
espetáculo ficou a lembrança da maravilha que era
aquilo, poder pilotar um avião. E resolvi não espe-

rar ser grande para poder realizar o meu desejo: eu mesmo fabricaria um avião.

Para isto, aproveitaria um carrinho de pedal que meus pais me tinham dado no meu último aniversário. Era um carro de corrida, e para dirigi-lo eu entrava nele como um piloto no avião. Bastava colocar as asas.

Cortei uns bambus do quintal, preparei umas taquaras como fazia para a armação de um papagaio, só que bem mais longas e grossas; com elas e pedaços de um velho lençol colados com grude de polvilho, fiz duas asas, que amarrei de cada lado do carrinho. Depois preguei na traseira umas asas mais curtas e o leme, também de pano e taquara.

Estava pronto o avião, mas e o motor?

Levei algum tempo estudando um aviãozinho de brinquedo que me serviu de modelo. Tinha uma hélice presa num elástico esticado até um gancho entre as asas: era só enrolar a hélice com o dedo e soltar, que o aviãozinho saía voando.

Estava ali o meu motor: bastava imitá-lo, em tamanho maior.

A hélice foi aproveitada das pás de um ventilador imprestável que encontrei no quarto de despejo, lá no barracão do fundo do quintal. A borracha de uma velha câmara de ar da bicicleta do Toninho faria o papel do elástico. Foi um custo conseguir enrolá-la, depois de esticada entre a hélice e o prego fincado junto às asas para servir de

gancho: a câmara de ar ia se enrolando, se enrolando, a hélice ia ficando cada vez mais dura para girar e de repente se desenrolava toda, por pouco não me decepou a mão. O avião chegava a se erguer do chão, eu tinha de segurá-lo para que não levantasse vôo sem que eu tivesse tido sequer tempo de entrar nele.

Acabei encontrando a solução: liguei a hélice, por um sistema de cordas, à minha manivela de empinar papagaio. Com ela no colo, eu podia enrolar a borracha, já sentado no avião. Depois, era só largar a manivela, que ela deixava a borracha se desenrolar sozinha, impulsionando a hélice.

Tudo pronto para a grande aventura, coloquei o aviãozinho num canto do quintal, e instalei-me dentro dele. Não faltava nem uma touca de banho de minha mãe e uns óculos de carnaval, que eu usava como os de um aviador de verdade. E me preparei para a decolagem, torcendo a manivela até o máximo que pude.

A câmara de ar, enroscada como um cipó, se desenrolou com toda a força, impulsionando a hélice. E lá fui eu, deslizando pelo chão!

Só que o avião não levantou vôo: correu comigo pelo quintal e espatifou-se de encontro ao muro. Fiquei todo machucado (embora não tanto quanto o aviador de verdade no desastre do Prado). O pior é que perdi o meu carrinho de corrida, que ficou para sempre arrebentado.

Com essa desastrada aventura, desisti de voar — pelo menos enquanto não pudesse ter um avião de verdade.

ATÉ que, um dia, uma idéia nova me surgiu na cabeça. Uma idéia tão doida, que eu não teria coragem de contá-la para ninguém: pensariam que eu tinha ficado completamente maluco e me internariam num hospício. Não me veio de repente, mas aos pouquinhos, depois de observar vários fatos miúdos que aconteciam comigo, e que fui ligando a outros até chegar a uma conclusão.

Fiquei pensando, por exemplo, numa brincadeira que eu fazia sempre, ao me pôr de pé: costumava puxar os cabelos para cima, como se aquilo me tornasse mais leve, ajudando a me erguer da cadeira. E os outros achavam graça.

Tinha também a mania de fingir que me agarrava em algum apoio imaginário no ar — uma barra, uma corda, uma argola — para me tornar mais leve ao me levantar da cama.

Pois comecei a reparar que tanto uma coisa como outra realmente me faziam mais leve, não era apenas ilusão.

Minha mãe tinha me contado que no seu tempo de criança havia uma brincadeira muito divertida: um balão de borracha cheio de um gás mais leve que o ar, mas bem grande, que se prendia no ombro das pessoas e as fazia mais leves, quase não tocando o chão, e cada passo era um salto gigantesco, como se fossem levantar vôo... Não sei se isso era invenção de mamãe (tive a quem puxar) — o certo é que me deixou fascinado, doido de vontade de experimentar a brincadeira.

Mas onde arranjar um balão como aquele?

Uma noite tive um sonho maravilhoso: sonhei que sabia voar. Bastava movimentar os braços, mãos abertas ao lado do corpo fazendo círculos no ar, e eu me descolava do chão como um passarinho, saía voando por cima das casas e pelos campos sem fim.

Durante vários dias aquele sonho não me saiu da cabeça.

64

Acabei cismando que poderia torná-lo realidade. Ia para o fundo do quintal e, longe da vista dos outros, ficava horas seguidas ensaiando o meu vôo. Mexia com as mãos, sem parar, como fizera no sonho, e nada. Eu sabia que não era uma questão de força, mas de conseguir estabelecer, com o movimento harmonioso das mãos, um misterioso equilíbrio entre o meu peso e o peso do ar. Como se estivesse dentro d'água e quisesse me manter à tona: qualquer gesto mais forte ou afobado e eu me afundava.

Pois um dia, depois de muito treino, senti que começava a ficar mais leve. Ou era só impressão? Tinha passado a fazer aqueles exercícios de calção de banho, justamente para sentir que, sem a roupa, meu peso era menor. E naquele instante parecia que eu estava quase flutuando no ar. Experimentei dar uns passos, bem de mansinho, como se estivesse andando em cima d'água. E a sensação foi de não estar tocando o chão. Descalço, já não sentia na sola dos pés o contato áspero da terra do quintal.

Por vários dias repeti a experiência. Ao fim, já sabia instintivamente os movimentos que tinha de fazer com o corpo para começar a flutuar, como alguém que tivesse aprendido a nadar. Um ligeiro impulso com os braços, bem devagar, levantando os cotovelos, me fazia deslizar mansamente, como se estivesse usando patins invisíveis. Apenas não tinha força suficiente para ganhar altura, e toda vez que eu me impacientava e fazia um movimento mais rápido, sentia meu corpo de súbito se abater contra o solo.

Com a prática, acabei conseguindo me erguer um ou dois palmos e sair deslizando pelo quintal durante algum tempo. Mas era pouco. Assim de pé, não podia dizer que estivesse voando. Eu percebia que só deitado, braços abertos como as asas de um pássaro, é que chegaria a voar de verdade. Mas quando experimentava me deitar e movimentar os braços como fazia de pé, sentia que jamais sairia do chão. Era como querer nadar no fundo de uma piscina sem água.

Acabei me convencendo de que, para sair voando, eu teria de já estar no ar.

Como? Subindo na mangueira e me atirando lá de cima? Eu não era maluco a este ponto: o peso do meu corpo faria com que eu me esborrachasse cá embaixo no chão. Era preciso que tivesse como tomar algum impulso...

Foi então que me veio a solução.

Como já disse, no fundo do quintal de nossa casa havia um pequeno bambuzal. Uma das brincadeiras que a gente fazia ali era a de se dependurarem vários meninos num dos bambus, fazendo com que ele se entortasse até que tocassem o pé no chão. Em dado momento todos, a um só tempo, largavam o bambu, menos o que estivesse na ponta: este continuava dependurado e subia como um foguete, agarrando-se com todas as forças no bambu para não ser atirado longe. E ficava balançando de um lado para outro lá em cima, como um pêndulo, até que o movimento parasse de todo e ele pudesse vir escorregando bambu abaixo.

Mais de uma vez eu participara daquela brincadeira. Sendo o menorzinho, e portanto o mais leve, em geral era o que ficava mais tempo balançando, dependurado na ponta do bambu.

Só que, agora, eu não ia apenas me dependurar: ia subir com o bambu e aproveitar o impulso para sair voando.

EVIDENTEMENTE não contei a ninguém a minha intenção.

A princípio tudo deu certo: a subida foi sensacional. Quando a meninada largou o bambu, esperei que ele se empinasse, e larguei também. Fui projetado para cima como uma bala de canhão. Subi, subi, subi, vendo lá embaixo no quintal diminuírem cada vez mais as figurinhas dos outros meninos, agitando os braços para mim, cheios de espanto e admiração.

Em pouco tempo eu podia avistar do alto não somente o telhado da minha casa entre as árvores, como a cidade inteira com as suas ruas e praças, ônibus, bondes e automóveis deslizando como baratinhas.

Mas tudo começou a rodar diante de meus olhos quando meu corpo, perdendo o impulso que lhe havia dado o bambu, passou a virar cambalhotas no ar como as piruetas de um avião. Senti que era tempo de começar a voar por mim mesmo, antes que despencasse lá de cima como uma pedra.

Abri os braços, procurei uma posição de equilíbrio, como se fosse um pássaro, e movimentei as mãos como tinha ensaiado. Um bando de andorinhas passou por mim em revoada, sem tomar conhecimento de minha presença. O silêncio ali em cima era impressionante. Vi pouco acima de mim e meio de lado um urubu planando calmamente ao sabor do vento e a me olhar, desconfiado. Aquele bicho era capaz de me trazer azar.

— Vai embora, urubu! — gritei, mas ele nem ligou.

Tentei imitá-lo no seu vôo, quando percebi que eu estava era caindo mesmo. E cada vez com mais velocidade, apesar de meu esforço para me manter no ar. Eu sabia que quanto mais me agitasse, mais rápida seria a queda. No entanto, não conseguia me conter e mexia os braços e as pernas, desesperado como alguém que dentro d'água perde as forças e começa a se afogar. E sempre caindo. Lá embaixo o telhado das casas, as árvores, as ruas já se aproximando velozmente.

Senti que estava perdido. Não adiantava mesmo continuar a me mexer.

Então fechei os olhos e esperei pelo pior. Meu corpo assim esticado pareceu que já não tombava tão depressa: planava um pouquinho no ar, como o urubu, sustentado pelo vento que estava soprando. Mas continuava caindo — em poucos segundos eu estaria me arrebentando lá embaixo no chão.

Só me restava pedir a Deus que tivesse piedade de mim, me levasse de uma vez para o céu.

Foi quando ouvi um barulhinho no ar. Abri os olhos e vi o aeroplano voando lá longe, depois fazendo uma volta e vindo em minha direção. O piloto parece ter me visto também, pois se aproximava cada vez mais. Ao chegar bem perto fez um sinal com o braço. Respondi com um gesto aflito de quem pede socorro. Ele deve ter entendido: fez uma volta e veio vindo por detrás, para passar bem em cima de mim. Procurei planar o mais possível, braços abertos, e quando vi que ele se emparelhava comigo, ergui os braços e me agarrei com força no eixo entre as rodas, como havia feito o aviador nas acobracias lá do Prado.

Não foi fácil montar no eixo e dali passar para a asa, mas acabei conseguindo. Na hora do aperto a gente é capaz de tudo.

Por detrás dos seus óculos colados no rosto, o piloto me olhava, assombrado. Logo o avião ganhou velocidade, rumando para o campo de pouso.

Ao fim de algum tempo, que me pareceu uma eternidade, acabamos descendo mansamente na pista.

Nem bem o avião tinha parado na grama, meu pai chegava esbaforido num carro de praça, para me buscar. Avisado pelos outros meninos da minha aventura, havia tomado aquele carro de aluguel — coisa que só fazia nas grandes ocasiões.

Depois disso não voltei mais a sair do chão. Minha mãe achava que eu andava muito magrinho, me obrigava a comer de tudo e tomar fortificante para engordar. Acabei engordando mesmo. Não muito, mas o bastante para não conseguir mais voar.

CAPÍTULO IV

O MISTÉRIO DA CASA ABANDONADA

Mas consegui coisa mais importante: me tornei agente secreto.

O Departamento Especial de Investigações e Espionagem Olho de Gato achava-se instalado nos altos do prédio situado na Praça da Liberdade, número 1458, em Belo Horizonte, Minas Gerais, Brasil, América do Sul, Hemisfério Ocidental, Terra, Universo

Ou seja: no forro da minha casa.

Era uma sociedade secreta, constituída de quatro agentes: Odnanref, Anairam, Hindemburgo e Pastoff. Um casal de brasileiros, um alemão e um russo. Odnanref era meu nome de guerra, e eu o chefe da organização. Anairam era Mariana, filha da dona Cacilda, a nossa vizinha da casa ao lado. Hindemburgo, como já disse, era o cachorro po-

licial. Ele não parecia gostar muito que a sociedade se chamasse Olho de Gato, mas gato é que enxerga no escuro, não podíamos dar a ela o nome de Olho de Cachorro, como o referido agente certamente pretendia. E Pastoff era o coelho cinzento que meu pai tinha me dado para substituir a galinha Fernanda, que havia morrido de velha. Quem o batizou assim foi o Gerson, meu irmão mais velho, afirmando que Pastoff queria dizer coelho em russo — afirmação que desconfio não ser verdadeira.

Nossos inimigos mais próximos eram, pela ordem: a Alzira, por viver nos espionando; seu Lourenço, o jardineiro português, que me passou uma corrida só porque fiz pipi dentro do regador; seu Policarpo, tio da agente Anairam, que tinha dado umas palmadas na sobrinha quando a surpreendeu mexendo nos seus guardados, por estar desconfiada de que ele pertencia a uma organização inimiga; e o Godofredo, que me delatou quando escondi a Fernanda debaixo da bacia, para que não a servissem ao molho pardo no almoço do Dr. Junqueira. Era talvez o inimigo mais perigoso, pois vivia dando com a língua nos dentes (que não tinha) — uma língua preta, só de olhar já dava nojo. Por causa dele tivemos de transferir a sede da sociedade para o forro: Godofredo prestava mais atenção que uma coruja, lá do seu poleiro à entrada do porão, onde a princípio nos reuníamos. A qualquer coisinha disparava a tagarelar, chamando a atenção

74

de todo mundo com a sua falação.

Entrávamos no forro de maneira meio complicada: pelo alçapão na parte do teto que ficava exatamente sobre a mesa da copa. Quando não havia ninguém por ali, colocávamos uma cadeira em cima da mesa, para alcançar o forro. Depois de subir, tínhamos de recolocar a cadeira no chão (para que ninguém suspeitasse ao vê-la ali) com a ajuda de uma corda e um gancho que então recolhíamos. Para sair, era só nos dependurarmos nas bordas do alçapão e saltar na mesa.

Os agentes que subiam e desciam com mais facilidade eram justamente o Hindemburgo e o Pastoff, por serem bons de salto.

Fechada a portinhola de entrada, começávamos a reunião, sob o telhado, por entre cujas frinchas entravam alguns fiapos de luz do sol.

Tínhamos de falar baixo e pisar de leve, para não fazer barulho no forro. Mas podíamos andar por ele à vontade, em cima de todos os quartos da casa e até mesmo ver o que se passava lá embaixo por alguma fresta nas tábuas. Só que não havia grande coisa a espionar, senão alguém trocando de roupa, o que em si não tinha nada que merecesse maiores investigações.

Havíamos deslindado vários mistérios, que desafiariam a argúcia dos mais hábeis detetives e espiões do mundo inteiro. Conseguimos descobrir quem tinha chupado os ovos no ninho do galinheiro da casa de nossa agente Anairam: um gambá que, ao ser descoberto, sumiu para sempre sem deixar vestígios, além de um rastro de mau cheiro. Tínhamos desmantelado uma rede de contra-espionagem chefiada pelo Gerson. Ele era capaz de verdadeiros prodígios, como entrar no nosso quarto pela janela do segundo andar (e jamais soube voar como eu) para abrir meu armário e o do Toninho e ver o que tinha dentro, usando gazuas e chaves falsas. Graças ainda às nossas investigações, descobrimos que uma nova empregada conseguira em uma semana furtar objetos de todo mundo dentro de casa, até da própria Alzira, sua colega de quarto.

Mas nossa maior proeza seria a da casa abandonada, motivo da reunião que eu havia convocado para aquele dia.

ANTES de mais nada, seria preciso tomar várias providências. A mais urgente delas era a respeito da nossa linguagem cifrada, pela qual obrigatoriamente nos comunicávamos:

— Nãopão popodepemospôs fapalarpar maispais napa linpinguapá dopô pepê. Opô Gerpersonpon sapabepê fapalarpar nepessapá linpinguapá. Hopojepê epelepê enpentenpendeupeu tupudopô quepê fapaleipei nopô tepelepefoponepê.

Pela manhã eu tinha telefonado para a agente Anairam, convocando-a para a reunião. Em geral,

76

quando tínhamos assunto mais longo para falar, usávamos nosso telefone privado, feito de um barbante passado por cima do muro e tendo em cada extremidade a parte de dentro de uma caixa de fósforos. Usávamos então linguagem comum mesmo, que mal conseguíamos escutar. Não dava para usar a língua do pê, como em nossas conversas no telefone de verdade, que estavam correndo o risco de ser ouvidas e entendidas pelo Gerson.

Propus aos demais que dali por diante a nossa língua oficial passasse a ser o alemão:

— Aus, énter, ínter, ómber, úfter. Sómber vaus-mosómber faus-laus aus-sinter.

Um pouco mais complicado que a língua do pê: cada vogal tinha um som diferente. Mas Anairam aprendeu logo. Os outros dois agentes naturalmente se limitavam a prestar atenção, um abanando o rabo, o outro as longas orelhas, pois não falavam língua nenhuma. Mas Hindemburgo, que era alemão, parecia satisfeito porque passaríamos a falar no seu idioma.

— Muínter-tómber bénter — disse ela. — Vómber-cénter rénter-cénter-beúfter mínter-nhaus ménter-saus-génter sénter-crénter-taus?

Realmente, ela tinha me mandado naquele dia uma mensagem secreta, e agora estava querendo saber se eu havia recebido. Limitara-se a atirar por cima do muro um papel em branco enrolado numa pedra, depois que soube ser perigoso usar o telefone de nossas casas. Escrevera a mensagem com tinta invisível, é lógico. Costumávamos usar dois processos, dependendo da ocasião: um era escrever com a caneta molhada em xixi: bastava esquentar o papel na chama de uma vela, que a escrita aparecia. Outro, era escrever a lápis com força num papel colocado sobre outro bem molhado. Quando o papel secava, não se via nada escrito nele: era preciso tornar a molhá-lo para poder ler.

Como aquele papel ainda estava meio úmido, vi logo que ela tinha usado este segundo processo. Foi só molhá-lo de novo debaixo da torneira, e pude ler:

DE ANAIRAM PARA ODNANREF:
URGENTE INVESTIGARMOS CASA
ABANDONADA POSSÍVEL EXISTÊNCIA
TESOURO.

Ela se referia a uma misteriosa casa na Avenida João Pinheiro, onde sabíamos que não morava ninguém havia anos. Diziam mesmo que era mal-assombrada. O imenso casarão ficava fronteiro à rua, com uma varanda ao lado, dando para um jardim. A pintura estava descascando nas paredes, as janelas apodrecidas e desconjuntadas, o mato tomando conta do jardim, a hera subindo pela fachada, teias de aranha nas grades da varanda, o portão enferrujado, morcegos vivendo nas frinchas do telhado. Íamos sempre olhá-la durante o dia, fascina-

78

dos: que haveria lá dentro? Não seria de espantar se de noite os fantasmas se reunissem ali para celebrar o fato de já haverem morrido.

Anairam propôs que fôssemos lá naquela noite, para proceder a uma investigação completa. Achei prudente sugerir que de noite as coisas ficavam um pouco mais difíceis, não se enxergava nada! Melhor irmos mesmo de dia. Ela alegou que de dia nós é que corríamos o risco de sermos vistos.

Sermos vistos por quem? Se lá não morava ninguém?

— Pénter-losómber vínter-zínter-nhosómber.

Pelos vizinhos — ela tinha razão. Respirei fundo, tomando coragem, e dei a palavra de ordem: iríamos lá naquela noite mesmo.

79

NÃO foi fácil sair de casa de noite. Tive de esperar todo mundo dormir, inclusive o Toninho, que nunca teve tão pouco sono: ficou lendo na cama até tarde. Foi a minha vez de reclamar:

— Vou apagar essa luz, que estou com sono, quero dormir.

Quando me certifiquei de que não havia ninguém mais acordado, tirei o pijama, me vesti no escuro e saí pé ante pé. Convoquei o Hindemburgo com um assobio. Ele compareceu logo, língua de fora, todo animado. Pastoff também se juntou a nós em dois pulos e saímos os três, para encontrarmos a agente Anairam já à nossa espera no portão de sua casa. Vestia uma capa de chuva sobre a camisolinha, o que lhe dava um ar de espiã de cinema. E fomos juntos pela rua em direção à Avenida João Pinheiro.

Quando chegamos em frente à casa abandonada, ouvimos o sino da igreja de Lourdes dar pausadamente doze badaladas, que ficaram vibrando no ar, aterradoras: meia-noite! Hora em que os fantasmas apareciam, saindo de seus túmulos, e o capeta andava solto na escuridão da noite. Fazia frio e vi que a agente Anairam tremia tanto quanto eu, mas ainda assim levamos em frente a nossa aventura.

Não foi difícil transpor o portão: um ligeiro empurrão e ele se abriu, devagar, rinchando nas dobradiças. Fomos avançando por entre o mato do

80

jardim. Alguma coisa deslizou junto a meus pés —
um rato, certamente, ou mesmo um lagarto. Engoli
em seco e prossegui a caminhada ao lado de minha
companheira, seguido dos outros dois agentes.

Ao chegar à varanda, ordenei a ambos que ficassem ali e nos esperassem. Não convinha entrarmos todos ao mesmo tempo. Alguém tinha de ficar de sentinela do lado de fora.

Subimos os degraus de pedra em plena escuridão e tateamos pela parede à procura da porta. Tínhamos trazido conosco uma caixa de fósforos e uma vela, mas não era prudente acendê-la ali: poderíamos chamar a atenção de alguém na rua, algum guarda-noturno rondando por lá.

Encontramos a porta e forçamos o trinco. Estava trancada por dentro, não houve jeito de abrir. Era tão fraca e a madeira parecia podre, eu seria capaz de arrombá-la com um pontapé, só que faria muito barulho. Preferimos forçar a janela que dava também para a varanda. Era só quebrar o vidro, meter a mão e puxar o trinco.

Tirei o sapato e bati fortemente com o salto no vidro, que se espatifou num tremendo ruído. Assustado, Hindemburgo latiu no jardim, por sua vez nos assustando tanto, que nosso primeiro impulso foi fugir correndo.

Como não acontecesse nada, ao fim de algum tempo resolvemos continuar a nossa missão. Aberta a janela, fui o primeiro a pular. Depois ajudei Anairam a entrar também. Só então, já dentro de casa, nos arriscamos a acender a vela.

Era uma sala grande, onde não tinha nada, a não ser poeira no chão e manchas de mofo pelas paredes forradas de papel estampado. A chama da vela, trêmula, projetava sombras que se mexiam, pelos cantos, ameaçadoras, enquanto avançávamos.

Em pouco vimos que ali embaixo só havia uma cozinha, onde várias baratas fugiram correndo pelo chão de ladrilhos encardidos, um quartinho e outra sala com janelões dando para a rua. Mais nada.

Restava subir a escada e investigar o que havia nos quartos lá em cima.

Subimos devagarinho, eu na frente, conduzindo a vela, a agente Anairam se agarrando na minha blusa. Procurávamos não fazer barulho, mas os degraus de madeira da escada, já meio podres, rinchavam, dando estalinhos debaixo de nossos pés.

No segundo andar, empurramos a porta do primeiro quarto no corredor e entramos. Era um quarto grande, mas a vela não dava para ver nada, a não ser a nossa própria sombra projetada na parede.

Foi quando, de súbito, a luz se acendeu e tudo se iluminou.

No primeiro instante ficamos deslumbrados com aquela claridade e nos voltamos para ver quem tinha acendido a luz. Soltamos juntos um grito de pavor — parado junto à porta estava um velho horrendo, alto, barba suja, cabelos desgrenhados, a nos olhar, mãos na cintura:

— Que é que vocês dois estão fazendo aqui? Quem são vocês?

A voz dele era rouca e nos meteu mais medo

ainda. Ele avançou em nossa direção e fomos recuando de costas, até a parede.

— Vocês merecem é uma boa surra — e o velho apanhou um pedaço de ripa no chão.

Quando já estava com o braço erguido para nos bater, vimos por detrás dele surgirem na porta os agentes Pastoff e Hindemburgo que, alertados pelo nosso grito, tinham vindo a toda pressa nos defender. O primeiro em três pulos se colocou na frente do velho, onde ficou saracoteando para distrair sua atenção, enquanto o segundo de um salto se atirava em suas costas e o derrubava.

Anairam e eu aproveitamos a confusão para fugir do quarto e despencar escada abaixo, largando pelo caminho a vela ainda acesa. Fomos ultrapassados pelo velho, que ao ver aquele cachorrão em cima dele sentiu mais medo do que nós.

Nem sei como conseguimos saltar tão depressa pela janela por onde havíamos entrado, e ganhar a rua num atropelo, aos gritos de acordar o quarteirão inteiro. Quando vimos, os outros dois agentes estavam a nosso lado, fugindo conosco. Fomos cada um para o seu lado — Anairam para a sua casa, eu para a minha, Pastoff para sua toca no quintal, Hindemburgo para o porão onde dormia.

NO DIA seguinte ficamos quietinhos, nem ousamos nos reunir. Mas soubemos, pelas conversas dos mais velhos, de tudo que havia acontecido. Tinha dado até notícia no jornal. A nossa gritaria chamou a atenção dos vizinhos, que acordaram e viram de suas janelas a casa abandonada começando a pegar fogo — a vela que deixei cair causou o incêndio. Chamaram os bombeiros e veio também a polícia, ainda em tempo de prender o velho: era um ladrão perigoso, que usava aquela casa para guardar objetos roubados. Um dos vizinhos chegou a declarar aos jornais que tinha visto uns meninos e um cachorrão fugindo da casa em chamas. Mas não se descobriu nada a nosso respeito, acharam que o vizinho estava vendo fantasmas.

Passado o perigo, alguns dias mais tarde a sociedade secreta Olho de Gato voltou a se reunir, para avaliar a situação e estudar as próximas missões. Entramos de manhã no nosso esconderijo e, esquecidos do tempo, ficamos horas comentando os riscos que tínhamos enfrentado. Até Hindemburgo participou dos debates, a rosnar de alegria lá na língua dele, pelo grande sucesso de sua atuação, salvando-nos a vida: ganhou um belo naco de carne que roubamos da Alzira na cozinha, e Pastoff foi premiado com meia dúzia de cenouras.

Estávamos em meio às celebrações, quando ouvimos um barulhinho no canto do forro. A agente Anairam foi até lá investigar. De repente ela soltou um berro e voltou correndo, como se mil demônios a perseguissem

— É o gambá!

Apavorados, nos precipitamos todos para a saída no alçapão: era o gambá que havíamos surpreendido chupando ovos no galinheiro da casa de nossa companheira. Foi abrir a portinhola e saltamos um atrás do outro para a mesa lá embaixo.

Foi então que se deu o desastre.

Distraídos com a animada reunião, não tínhamos percebido que o tempo havia passado, estava na hora do almoço. E a família inteira almoçava naquele instante, reunida em torno à mesa. Pastoff caiu direto dentro da sopeira, saiu aos pulos borrifando sopa em cima de todo mundo. Hindemburgo, grandalhão, em dois saltos ganhou o chão, não sem antes pisar nos pratos do papai e da mamãe, espalhando comida para todo lado. Eu caí com as pernas enganchadas no pescoço do Gerson e Anairam se estatelou de quatro no meio da mesa, uma das mãos na travessa de arroz, a outra na de batatinhas fritas e os joelhos num pastelão de carne. Só o gambá não pulou atrás de nós: se limitou a meter o focinho pelo alçapão, para dali acompanhar os acontecimentos. Mas deu para sentir o fedor de sua presença.

Foi um susto tremendo, verdadeiro pandemônio. Devem ter achado que a casa vinha abaixo. Nunca conseguiram saber direito o que havia acontecido e muito menos o que estávamos fazendo no forro da casa. Não havia como entender as nossas confusas explicações.

E foi assim que entrou em recesso a sociedade secreta: os quatro agentes, Odnanref, Anairam, Pastoff e Hindemburgo se recolheram cada um ao seu canto, e o Departamento Especial de Investigações e Espionagem Olho de Gato suspendeu temporariamente as suas atividades.

CAPÍTULO V

UMA AVENTURA NA SELVA

Voltei então a me empolgar pelas aventuras de Tarzã ou pelas desventuras de Robinson Crusoé. Tinha vontade de imitá-los. Era pensando em Tarzã que eu subia na mangueira, dava o meu grito da selva e saltava de galho em galho, chegando mesmo a passar, dependurado numa corda como se fosse um cipó, para a mangueira do vizinho, do outro lado do muro. E como se fosse Robinson Crusoé na sua ilha deserta é que resolvi construir uma cabana no fundo do quintal.

Primeiro finquei quatro estacas de bambu no chão, formando um quadrado. Depois ergui as paredes, aproveitando as tábuas de uns caixotes vazios que estavam havia tempos debaixo da escada da cozinha, sem nenhuma serventia. Para isso, usei o martelo, o serrote e outras ferramentas de meu pai, que eu já sabia manejar com alguma habilidade. Aproveitava, é lógico, as horas em que ele não estava em casa, pois papai não gostava que usassem as suas ferramentas. Dizia que a gente depois largava tudo espalhado por aí.

O telhado era feito de uns galhos cruzados, sustentando pedaços de lata de querosene e tampas de latas de biscoito Aymoré. A porta e a janela, também de madeira, tinham dobradiças feitas de pedaços de couro de um sapato velho e se fechavam por dentro com uma tramela: um pedacinho de pau que girava, preso por um prego.

Aos poucos foi surgindo a mobília da minha nova morada: uma mesa feita de tábua e quatro pedaços de cabo de vassoura, um banquinho que era outra tábua em cima de dois tijolos, e a cama, que era um saco de aniagem cheio de folhas secas em cima de um jirau improvisado. Algumas prateleiras de papelão e cabides feitos de pregos completavam a arrumação.

Cuidei também de levar para a cabana uma boa provisão de alimentos furtados da despensa: frutas, latas de sardinha, salame, queijo — tudo mais que pudesse comer com auxílio do meu canivetinho, sem precisar de cozinhar.

E passava horas e horas ali dentro, sozinho na minha ilha deserta. Até parecia que ninguém mais sabia da minha existência. Às vezes minha mãe me procurava por tudo quanto era canto da

casa, e, não me encontrando, mandava a **Alzira** ir
me buscar na cabana:

— Deve estar metido lá dentro, esse menino.

A cozinheira batia na porta com uma força
que ameaçava jogar a cabana no chão, mas eu não
abria: ficava quietinho, sem fazer barulho, esperando que ela acabasse desistindo.

Uma noite, enfim, resolvi dormir ali. Pedir
que meus pais permitissem, nem pensar: mamãe
vivia dizendo, assim que anoitecia:

— Vem pra dentro, menino, olha o sereno!

E papai não se metia; quem mandava nessas
coisas era ela.

Para facilitar, pensei em confiar meu plano ao
Toninho, mas achei que ele podia querer também
dormir na cabana, e ali dentro mal cabia um, quanto mais dois. Então esperei que todos na casa ador-
mecessem, e saí sorrateiro do quarto em direção ao
quintal, levando o travesseiro e o cobertor.

Não tive sorte: naquela noite caiu um temporal, com raios e trovoadas. A água da chuva inun-
dou a cabana, a ventania arrancou pedaços do telhado. Encolhido num canto, molhado até os ossos,
tive de esperar o dia clarear, debaixo daquele agua-
ceiro todo. Acabei pegando uma gripe, por pouco
não vira pneumonia. E recebi um castigo bem me-
recido: fiquei sem sobremesa uma semana.

Meu pai, curioso, no dia seguinte foi ao quintal apreciar a cabana. Elogiou o meu trabalho, mas

90

fez vários reparos: isso aqui você não pregou direito; é lógico que tinha de chover dentro, o telhado não tem inclinação; devia ter cavado um rego ao redor, para a água não entrar por baixo da parede.

— Você tem jeito. Mas precisa de aprender umas coisas.

E disse para minha mãe, na hora do almoço:

— Acho que o escotismo é que vai ser bom para esse menino.

TONINHO já era escoteiro, mas eu ainda não tinha idade senão para ser lobinho. Ainda assim, meu irmão me levou para a associação e me alistou.

Em pouco tempo, passei a levar mais que a sério o escotismo. Não tanto pela parte moral — embora não deixasse de ser interessante amar a Deus sobre todas as coisas, ter uma só palavra, fazer uma boa ação todos os dias, ser limpo de corpo e alma, amar os animais e as plantas, respeitar o bem alheio, ser cortês e leal, e outras obrigações dos mandamentos do escoteiro, que a gente jurava cumprir. O que me atraía mesmo era a parte prática e as distrações: transmitir mensagem à distância pelo código Morse, com o auxílio de um apito ou de uma lanterna (logo consegui decorar o alfabeto), ou por semáfora, com duas bandeiras, como fazem os marinheiros; aprender a dar várias espécies diferentes de nós; acender uma fogueira com apenas um pau de fósforo ou fazer fogo sem fósforo algum; armar uma barraca; orientar-me pelas estrelas; tocar tambor; seguir uma pista em pleno mato — e mil outras coisas próprias dos índios e dos exploradores do oeste.

Duas vezes por semana lá ia eu para a reunião na sede da associação, todo orgulhoso no meu uniforme de lobinho.

E chegou enfim o dia de realizar o meu grande sonho: participar de um acampamento.

Éramos uns trinta, e eu o único lobinho. Toninho também foi. Ele não devia ter nem doze anos, mas já era monitor da patrulha do Lobo, havia passado na Primeira Classe e conquistado várias especialidades, cujos distintivos ostentava na manga arregaçada da blusa cáqui. Nem por isso parecia pretensioso ou arrogante. Pelo contrário: procurava ser humilde e camarada, um grande companheiro dos demais escoteiros, mesmo os menores como eu. Não era só por ser meu irmão: eu o considerava o meu melhor amigo e ele acabou se tornando para mim uma espécie de instrutor. Era quem me ensinava as coisas. Com ele é que aprendi quase tudo do escotismo, inclusive sobre acampamentos. Agora ia pôr em prática o que aprendera.

Fomos de trem, numa enorme algazarra, entre cantorias e brincadeiras. Descemos em Itabirito, de onde seguimos a pé até o local onde íamos acampar, fora da cidade e perto de uma floresta.

Enquanto os demais escoteiros cumpriam cada um sua missão armando o acampamento, a patrulha do Lobo, chefiada pelo Toninho, foi encarregada de catar galhos secos na mata, que servissem de lenha para cozinhar e para o Fogo do Conselho, depois do jantar. Fui com os oito escoteiros, pois ficara mais ou menos agregado a eles, adotado por aquela patrulha como uma espécie de mascote.

Usando suas machadinhas e facões, os escoteiros se espalharam entre as árvores, cortando galhos aqui e ali. Também eu levava, com orgulho, dependurada ao cinto, a minha faca de campanha. Mas

não precisei de usá-la, pois, de acordo com as instruções do comandante da patrulha, minha missão se limitava a recolher do chão todo graveto que encontrasse.

Distraído com a tarefa, não reparei que me distanciava dos outros, embrenhando-me cada vez mais no meio do mato. Quando percebi que já não mais os via, nem mesmo ouvia suas vozes, procurei regressar, mas não sabia por onde, tantas eram as voltas que havia dado. O mato era denso ao redor, impedindo que eu visse qualquer coisa à distância de uns poucos metros. Mesmo a luz do dia mal chegava onde eu tinha ido parar, impedida pela copa das árvores que se fechavam como um telhado sobre minha cabeça. E o pior é que já começava a anoitecer.

Procurei prestar atenção, aguçando os ouvidos, para ver se escutava alguma coisa. Realmente deu para captar, ao longe, uns farrapos de conversas e risadas cada vez mais fracas, à medida que se afastavam, eu não conseguia distinguir em que direção. Gritei, gritei, mas não deviam ter me ouvido, pois fiquei esperando um tempão e ninguém apareceu. Senti vontade de chorar, mas resisti: um escoteiro não chora.

Dava para perceber em que lado o sol se afundava no horizonte, pois seus últimos raios conseguiam varar a parede de árvores, deixando no ar uma cortina de luz. Eu sabia me orientar pelo sol. Bastava virar a esquerda para o poente, e tinha à minha frente o norte, às costas o sul e à direita o leste. Mas de que adiantava? Eu não sabia se o nosso acampamento estava na direção do norte, do sul, do leste ou do oeste. Distraído em olhar o chão à procura de gravetos, eu não havia prestado atenção a nada, e muito menos por onde ia. O que era imperdoável num escoteiro, que deve estar sempre alerta.

Agora eu descobria que estava completamente perdido, e em breve seria noite. Sabia que tinha ido parar bem longe do acampamento. Devia ter me afastado dos outros uma longa distância, andando sem rumo pela floresta. Era inútil tentar voltar. Eu ia acabar me perdendo de vez, e quando viessem à minha procura, jamais me achariam.

DECIDI não entrar em pânico e encarar com bom humor a minha situação: o escoteiro é alegre e sorri nas dificuldades. Quando afinal eu voltasse ao acampamento, possivelmente daríamos boas risadas pelo que havia acontecido. Eu podia até inventar que me escondera de brincadeira, para passar um susto nos companheiros. A verdade é que temia receber algum castigo, pois deixara de cumprir a instrução que havia recebido, de não me afastar muito dos meus companheiros. Só que eu não poderia mentir: o escoteiro tem uma só palavra, sua honra vale mais que a própria vida.

E era a minha própria vida que estava em jogo: pelo jeito, eu teria de passar a noite em plena mata, cercado de perigo por todos os lados.

Procurei fazer um levantamento dos recursos com que eu contava para sobreviver. Havia deixado no acampamento a mochila com mudas de roupa, cobertor, escova de dentes, e tudo mais. Mas trazia comigo, dependuradas no cinto ou dentro dos bolsos, várias peças do equipamento de um escoteiro, e que me seriam valiosas na situação em que me encontrava: a faca metida na bainha de couro; o rolo de corda; o canivete (não o vermelhinho, mas outro, dos grandes, marca Solingem, que meu pai me havia dado no Natal, com uma porção de lâminas, uma pequena lente, serras e até um garfo e uma colher); o cantil cheio d'água; a marmita portátil; a caixinha de primeiros socorros, cruz vermelha na tampa, contendo algodão, esparadrapo, um vidrinho de iodo, outro de álcool e uns comprimidos para dor de barriga e resfriado; uma cadernetinha de notas e um lápis. Por azar meu, só não trouxera o apito, que agora serviria para chamar facilmente a atenção dos meus companheiros, com SOS em Morse.

Encontrei também no bolso um tablete de chocolate Gardano e um pacote de pastilhas de hortelã que havia comprado na estação de Belo Horizonte, antes de tomar o trem. Como estivesse sentindo fome, comi um pedacinho do chocolate e chupei uma pastilha de sobremesa. Era preciso tomar cuidado, economizar água e aquela ração de alimento, como fazem os náufragos. Aquilo talvez tivesse de durar muito tempo, até que eu regressasse à civilização.

De repente ouvi um ruído a poucos passos.

Subi com a rapidez de um esquilo ao galho mais alto de uma árvore, e só quando me senti a salvo, enganchado numa forquilha, pude olhar para baixo e ver o que me havia assustado: um bicho esquisito, todo riscado nas costas, de rabo curto e focinho comprido, que foi passando calmamente e logo desapareceu. Concluí que devia ser um filhote de anta, ou tapir, que já tinha aprendido a reconhecer: o Tapir de Prata era a mais alta condecoração que um escoteiro podia receber.

Achei prudente continuar ali em cima mesmo, onde os perigos eram menores: só as cobras e as onças, entre os animais ferozes, eram capazes de subir em árvores. Ao que eu soubesse, naquela mata não devia haver nem uma coisa nem outra, porque do contrário o local do acampamento não teria sido escolhido tão perto dela.

Para não cair durante o sono, amarrei com a cordinha o meu corpo pela cintura no tronco da árvore, fazendo para isto uma volta-de-fiel. Vi num galho de outra árvore os olhos acesos de uma coruja me observando. Se tinha coisa no mundo de que eu não gostava era coruja. Para mim era bicho de mau agouro. Mas resolvi não acreditar em azar dali por diante: se a coruja não estivesse gostando da presença daquele estranho ali, azar dela: os incomodados que se retirem.

Em pouco tempo passei a escutar uma verdadeira orquestra dos mais estranhos sons: uivos, assobios, latidos e até mesmo gemidos. A própria coruja parecia assustada, e soltava um pio sinistro de arrepiar de medo. A certa altura varou a escuridão uma espécie de gargalhada que fez meu corpo gelar. Cheguei a fazer o nome-do-padre, pedindo a

Deus que me descobrissem o mais depressa possível. E comecei a assobiar tudo quanto é música que eu conhecia, para espantar o medo.

Mesmo com aquela zoeira toda nos meus ouvidos, fui aos poucos sendo dominado pelo cansaço e acabei adormecendo.

QUANDO abri os olhos, havia clareado. O sol subia no horizonte. Assim, à luz do dia, a mata não parecia tão assustadora. Pelo contrário: tudo era tranqüilo e sem mistério. Vi a um palmo do meu nariz, pousado no galho onde eu descansava a cabeça, um passarinho preto de barriga amarela a me olhar com curiosidade, a cabecinha torta para um lado. Depois ele me virou as costas e foi pulando pelo galho afora até a ponta, de onde levantou vôo.

Eu ouvia na mata uma cantoria doida de passarinhos, formando um só ruído, contínuo e ensurdecedor. Desamarrei-me da árvore, enrolei a corda, e depois de dependurá-la no cinto, desci com dificuldade até o chão. A posição forçada de dormir abraçado ao tronco havia deixado meu corpo doído como se eu tivesse levado uma surra.

Dei alguns passos para desenferrujar as pernas. Ao olhar para o chão, descobri no meio do capim um ninho com seis ovinhos. Deviam ser de codorna. Guardei com cuidado todos eles nos bolsos

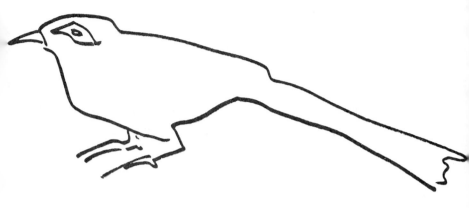

da blusa, três de cada lado: ainda dariam um bom almoço.

Estava morto de fome e de sede. Molhei o rosto para espantar o resto de sono, e tomei um pouquinho de água, que estava com um gosto meio choco, como toda água de cantil. Mas me matou a sede. Comi mais um pedacinho do chocolate, que havia amolecido com o calor do meu corpo: amassado, colava-se no papel prateado, lambuzando-me os dedos. Mas me matou a fome. E chupei uma pastilha de hortelã, enquanto pensava o que faria agora.

Concluí que era inútil ficar ali à espera. Acabaria mais velho que Robinson Crusoé na sua ilha, antes que me encontrassem. Resolvi ir andando, e escolhi a direção do sol, porque, me lembrava agora, tínhamos entrado na mata dando as costas para ele. Mais tarde iria descobrir que era justamente o

101

contrário que eu deveria fazer, pois estava me afastando cada vez mais do acampamento: tinha entrado na mata de tarde, e agora era de manhã, o sol estava do outro lado.

Para poder avançar, eu precisava às vezes abrir caminho no mato com a faca: arbustos, cipós e galhos das árvores se entrelaçavam, formando uma verdadeira rede. Mas fui conseguindo seguir em frente, até chegar a uma pequena clareira, onde me sentei numa pedra para descansar.

Enxuguei o suor do rosto, tomei mais um gole d'água, e estava pensando se comia ou não comia outro pedacinho do chocolate, quando ouvi uma espécie de assobio bem baixinho, perto de mim. Olhei para o lado e vi, meio erguida a dois palmos de minha cara, a cabeça de uma cobra enorme, a lingüinha entrando e saindo, pronta para dar o bote.

Fiquei paralisado de pavor, a olhá-la também. Mas não perdi a calma: tirei devagarinho a corda da cintura, armei um laço fazendo um lais-de-guia e segurei-a no ar com as duas mãos, esperando o bote. Assim que a cobra avançou a cabeça, fui mais rápido: joguei o laço sobre ela e apertei com toda força. Depois fiquei de pé e comecei a rodar a corda com violência sobre a cabeça, a cobra de mais de um metro dependurada girando no ar, já estrangulada, a boca aberta... Atirei-a no chão e acabei de matá-la, esmigalhando a cabeça com a pedra onde minutos antes estava sentado. Enxuguei o suor

102

do rosto, suspirando aliviado, me deu até vontade de soltar o grito de vitória do Tarzã.

Depois de tornar a enrolar a corda e dependurá-la na cintura, fui-me embora dali.

O CAMINHO aberto a facão pela mata poderia indicar aos meus companheiros por onde eu tinha seguido. Mas dali por diante, como a vegetação já não era tão cerrada, fui deixando os sinais de pista de vinte em vinte passos. Uma seta riscada no chão ou na casca de uma árvore, ou feita de pedrinhas e gravetos, indicando o caminho a seguir. Um x, indicando o caminho a evitar. Se saltava um pedregulho, um buraco ou um tronco caído, desenhava uma seta atrás de outra com dois risquinhos entre elas, o que queria dizer: salte o obstáculo. O sinal de perigo, que era um triângulo, não tinha como deixar: havia perigo por todo lado. E o corpo da cobra morta na clareira, que eles haviam de encontrar, era prova disso.

Quando vi por entre as árvores que o sol estava no alto do céu, decidi parar. Meio-dia — era hora do almoço. Me lembrei dos ovos de codorna, verifiquei com pena que um deles havia quebrado: meus dedos saíram do bolso da blusa lambuzados de gema e clara. Mas restavam cinco, e resolvi cozinhá-los.

103

Para isso, armei uma fogueirinha de gravetos, entre duas pedras grandes, pus um pouco de água do cantil na tampa da marmita com os ovinhos dentro e apoiei-a nas pedras. Depois fiquei longos minutos a tentar fazer fogo na ponta de um pedacinho de papel da minha caderneta, concentrando sobre ele o calor de um raio de sol através da lente do meu canivete. Pude enfim ver sair do papel uma fumacinha, depois uma chama, que enfiei debaixo dos gravetos, e logo um foguinho fazia ferver a água na tampa da marmita, cozinhando o meu almoço. Descasquei com cuidado os ovinhos e comi um por um. Estavam deliciosos. Só não comi a casca porque enganei a fome com o resto do chocolate. Como já estivesse praticamente no fim, tive de lamber o papel prateado. Mais uma pastilha de hortelã, e estava finda a minha refeição.

Antes de apagar o fogo, tive uma idéia que logo pus em prática. Joguei nas chamas algumas folhas verdes, que começaram a fazer subir ao céu um denso rolo de fumaça. Então tirei a blusa, cobrindo com ela a fumaça e deixando escapar um pouquinho de cada vez, como fazem os índios, de maneira que subissem no ar três pontos, três traços e três pontos, que era o sinal de SOS em código Morse. Lá do acampamento os escoteiros certamente veriam no céu o meu pedido de socorro. Depois apaguei o fogo e segui em frente.

O chocolate me deu sede e descobri, desolado,

que não tinha mais que um gole de água no cantil. Outra imperdoável distração para um escoteiro: havia apagado o fogo com a água da tampa da marmita, em vez de despejá-la de volta no cantil. Tinha pensado que ela não serviria para beber, porque estava muito quente... Nunca me senti tão burro, ao descobrir a bobagem que havia feito.

Mas Deus estava mesmo me protegendo: a mata foi rareando à medida que eu avançava, e terminou num rio largo e caudaloso. Água é que não ia mais me faltar. E na outra margem avistei um milharal cheio de espigas... Ali estava o meu jantar! Já tinha pensado em me valer de raízes e frutos silvestres para matar a fome, mas temia que fossem venenosos.

Era preciso atravessar aquele rio, e só mesmo a nado.

TIREI toda a roupa, aproveitando para tomar um banho refrescante, e me distraí catando todos os carrapatos que encontrei no corpo. Depois fiz com roupas, sapatos e tudo mais uma trouxinha, que amarrei na cabeça com a corda, e fui nadando bem devagarinho para que ela não se molhasse. A correnteza me arrastava rio abaixo, mas ainda assim eu ia conseguindo atravessar, e até era bom, pois me aproximava do milharal.

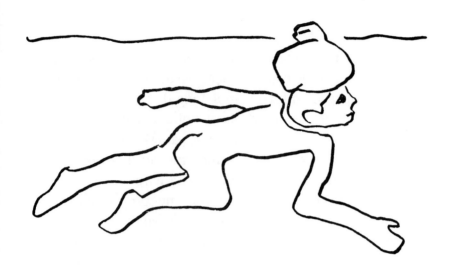

Quando ganhei a outra margem, depois de descansar um pouco e vestir a roupa, apanhei duas espigas, que descasquei e meti na marmita com água do rio. Usei para cozinhá-las o mesmo processo que tinha usado com os ovinhos de codorna. Só que desta vez não havia mais sol, tive de empregar o processo dos índios, que era bem mais difícil: rolar um pauzinho entre as palmas das mãos, de maneira que a ponta se esfregasse noutro pauzinho até sair fogo.

Desta vez me lembrei de jogar de volta a água no cantil. Quando esfriasse, serviria para beber, pois, além do mais, tinha sido fervida e estava livre dos micróbios.

Só então me ocorreu que eu não deixara sinal de pista no outro lado do rio. Meus companheiros, se estivessem me seguindo, não saberiam que eu o havia atravessado.

Como já estivesse escuro, fiquei por ali mesmo, no milharal, onde não tinha mais perigo: era plantação feita por mão de homem, que denunciava haver civilização por perto. Fiz uma cama de palhas de milho e dormi, depois de me regalar com as duas espigas que havia cozinhado e de beber a água do cantil, que já estava fria e gostosa.

De manhã acordei com o sol na minha cara. Depois de lavar o rosto no rio e chupar uma pastilha de hortelã, fui andando ao longo da margem, até encontrar o que procurava: uma casinha de lavradores.

Era um casal de jecas que não entenderam nada do que eu contava, como se eu fosse um bicho raro surgido de repente na frente deles. Mas acabaram me dando um pedaço de broa de milho e falando numa estrada que passava ali perto. A meu pedido, me ensinaram como chegar até lá. Agradeci, me despedi deles e parti.

Achei a estrada, que era de terra, mas muito melhor andar nela que no meio do mato. Logo passou um caminhão e pedi uma carona. O motorista, um preto muito bonzinho, me deu um pedaço de rapadura e ouviu com admiração a minha história, enquanto seguíamos em direção a Itabirito, levantando poeira. Perguntou na estação onde era o acampamento dos escoteiros e fez questão de me levar até lá.

Fui recebido e aclamado como um herói, em vez de ser castigado como esperava: disseram que aquilo poderia acontecer com qualquer um. Fiquei sabendo então a aflição que meu desaparecimento tinha causado. A tropa inteira passou aqueles dois dias à minha procura e ainda havia gente me procurando. A patrulha do Lobo, comandada pelo Toninho, havia encontrado a cobra que eu matara e visto no céu os meus sinais de fumaça. Seguiram as marcas que eu fora deixando pelo caminho e ao chegar ao rio, concluíram, inconsoláveis, que eu havia morrido afogado tentando atravessá-lo.

Meu irmão ficou desarvorado. Quando mais

tarde nos reencontramos, em meio à alegria geral, decidimos não contar nada em casa, para não afligir nossos pais. Mas, como sempre acontece, eles acabaram sabendo, e papai achava graça, pedia que eu narrasse a façanha para seus amigos.

Naquela noite, depois de um excelente jantar, durante o Fogo do Conselho tive de contar com detalhes a minha aventura. Todos se admiraram e os chefes, impressionados, balançavam a cabeça dizendo que se tudo aquilo que eu dizia fosse verdade, então eu merecia uma condecoração, talvez mesmo o Tapir de Prata.

E era tudo verdade — juro que só acrescentei uma mentirinha: disse que não tinha tido medo da onça que me fez subir na árvore.

CAPÍTULO VI

O VALENTÃO DA MINHA ESCOLA

DEPOIS disso tive de enfrentar outra espécie de perigo: o de levar uma surra do valentão da minha escola.

O nome dele eu não me lembro, mas todo mundo na classe o chamava de Birica. Era pelo menos uns dois anos mais velho que o resto da turma.

A verdade é que os colegas tinham medo dele. Birica falava e os outros baixavam as orelhas. Eu mais do que todos, pois era dos menores.

Vai um dia o Birica resolve implicar comigo. Ele e outro menino, conhecido como Jacaré. Não que o Jacaré fosse forte feito o Birica: era mais ou menos do meu tamanho. Tinha o queixo para a frente, de aparar goteira, e quando abria a boca parecia um jacaré — daí o apelido. Deste eu me lembro o nome: Sinfrônio. Por isso mesmo ele preferia ser chamado de Jacaré.

Pois o Jacaré, de quem ninguém gostava (tinha fama de ladrão, furtava tudo que a gente esquecesse na carteira), andava sempre adulando o Birica, e acabou querendo bancar também o valentão. Do Jacaré ninguém tinha medo, mas o Birica havia passado a protegê-lo, e ai de quem se metesse com ele! Um dia o Tininho, só porque deu uma sardinha no Jacaré, levou um tostão do Birica que deu com ele na enfermaria, ficou sem poder andar direito uma semana. Mas não contou para a diretora quem o tinha machucado. Era essa a lei entre nós: ninguém entregava ninguém. E além do mais aquilo era coisa à toa, vivíamos dando sardinha, tostão, cacholeta e coque uns nos outros.

Para quem não sabe: sardinha é uma chicotada de raspão, com o dedo indicador, em quem quer que ouse arrebitar o traseiro. Costuma doer de verdade, quando pega de jeito. Tostão é uma joelhada de lado na coxa da vítima, também dói muito. Cacholeta é uma pancada na cabeça de um infeliz, com as mãos presas uma na outra, depois de soprar entre elas como a enchê-las de vento. Costuma até tontear. O coque, ou cascudo, é a mesma coisa, só que com uma só mão.

Havia outras brincadeiras perversas ou mesmo perigosas, como a cama de gato: enquanto um ficava de quatro atrás do distraído, outro o empur-

111

rava pela frente, fazendo com que tropeçasse e caís-se estatelado de costas no chão. Houve mais de uma cabeça quebrada em conseqüência dessa gracinha.

Numa das brincadeiras, nunca cheguei a saber onde estava a graça: um dos meninos estendia fir-memente dois dedos da mão direita (o fura-bolos e o pai-de-todos), para que outro menino, com os mesmos dedos, desferisse neles uma pancada com toda força; passava então a ser a vez do outro, que fazia o mesmo; ao fim de alguns minutos dessa distração idiota, estavam ambos com os dedos ver-melhos e inchados, latejando de dor. Para quê? Pa-ra nada.

Algumas eram brincadeiras inofensivas, como a gata parida: dois meninos, sentados em cada ex-tremidade do banco, iam apertando os do meio até que não houvesse mais espaço para ninguém ficar sentado entre eles e, um a um, fossem espirrando para fora.

De outras brincadeiras, a vítima era a própria professora. Como dona Risoleta, por exemplo, que dava aula de religião.

MAGRICELA como a Olívia Palito, mulher do Po-peye, parecia um galho seco dentro do vestido es-curo. Era antipática e ranzinza. Usava óculos de lentes grossas: não enxergava direito, vivia confun-dindo um aluno com outro.

A aula de religião não contava ponto nem influía na nossa média, mas a diretora nos obrigava a freqüentar.

Um dia apareceu uma barata na sala de aula. Descobrimos então que dona Risoleta tinha verdadeiro horror de baratas: soltou um grito, apontou a bichinha com o dedo trêmulo e subiu na cadeira, pedindo que matássemos. Era uma barata grande, daquelas cascudas, de salto alto

A classe inteira se mobilizou para matá-la. Foi aquele alvoroço: empurrões, cotoveladas, pontapés, risos e gritaria, todos querendo atingi-la primeiro. E a coitada feito barata tonta, escapando por entre nossas violentas patadas no chão. Até que, de repente, tive a sorte de dar com ela passando a correr entre meus pés — esmigalhei-a numa pisada só.

Fui aclamado como herói, vejam só: herói por ter matado uma barata. Até dona Risoleta me agradeceu, trêmula, descendo da cadeira e me dando um beijo na testa. Esse beijo a turma não me perdoou, durante muito tempo fui vítima da maior gozação: diziam que dona Risoleta estava querendo me namorar.

Deste episódio nasceu uma brincadeira que passamos a fazer em toda aula de religião, duas vezes por semana. Alguém trazia uma barata viva dentro de uma caixa de fósforos vazia, para soltar na sala de aula entre as carteiras, até que um aluno denunciasse a sua presença. Quando não era a dona

113

Risoleta que soltava um gritinho:

— Uma barata!

Às vezes mais de um menino trazia de casa para soltar na sala a sua barata dentro da caixa de fósforos ou de uma latinha. Tínhamos de combinar antes, pois se aparecessem muitas de uma vez, dona Risoleta acabava desconfiando.

Um dia ela foi reclamar providências da diretora, dizendo que o prédio era velho, estava precisando de uma limpeza em regra, vivia cheio de baratas. Naquele tempo não havia dedetização, de modo que a diretora não tomou providência nenhuma, nunca tinha visto barata na escola, aquilo eram fricotes da dona Risoleta.

E a coisa ficou por isso mesmo, de vez em quando aparecendo uma baratinha, para alegrar a aula de religião. Houve uma que subiu pela perna da professora e foi se esconder debaixo da sua saia. A mulher deu um pulo de três metros de altura, se sacudindo toda, aos berros, como se estivesse possuída do demônio, por pouco não se atirou pela janela.

Até que o Dico um dia esqueceu na carteira uma caixa de fósforos com a barata dentro. Sem saber para que diabo aquele aluno havia de ter trazido fósforos de casa, se todos nós éramos crianças, não fumávamos, dona Risoleta, curiosa, abriu a caixa. A barata saltou em sua cara num vôo aflito, largando pedaços de asa no ar, e se refugiou nos seus

114

cabelos. A coitada só faltou desmaiar de susto. Saiu correndo feito doida com barata e tudo e foi nos denunciar à diretora.

O Dico acabou suspenso por uma semana, como responsável por todas as baratas que já tinham aparecido. Com isso, ficou sob ameaça de perder o ano, por falta de freqüência.

Em solidariedade a ele, resolvemos fazer greve, matando as aulas de religião.

Foi quando alguém teve idéia melhor para nos vingarmos:

— Vamos trazer para a sala outra coisa.

— Uma lagartixa — sugeriu um.

— Um rato — sugeriu outro.

— Um sapo — sugeriu um terceiro.

Concluímos que lagartixa não fazia mal a ninguém, era capaz de não assustar dona Risoleta. A menos que jogássemos uma pelo pescoço dela abaixo, por dentro do vestido — e todos riam, imaginando a cena. Durante o recreio as conversas e conspirações fervilhavam. Como e onde conseguir apanhar um rato vivo e trazê-lo para a escola sem que ninguém visse? Acabamos preferindo a idéia do sapo, de que estava cheio o córrego do Leitão, ali perto da escola. E no próprio lago da Praça da Liberdade, onde eu morava, tinha vários sapinhos, a questão era conseguir pegar um.

Mas a meninada era ativa: no dia seguinte mesmo o Tição, um crioulinho de pele brilhante de tão preta, trouxe, presa com um barbante, uma pererereca verde que era uma beleza. Todo mundo se juntou, querendo ver:

— Mostra ela para nós, Tição.

— Onde é que você pegou?

O negrinho ria, os dentes muito brancos:

— Lá perto de casa tem uma porção.

E punha a perereca na palma da mão, para que todos vissem. Ela ficava ali, encolhida, inchando e desinchando a barriga, olhos arregalados. De repente, como se fosse de mola, dava um salto no ar em direção à cara de um. Todos se espalhavam, assustados:

— Cuidado, que se ela mija no seu olho você fica cego.

— É só sapo que faz isso. Perereca não mija não.

Se não fosse o Tição conter com mão firme o barbante que a prendia pela cintura, ninguém segurava a perereca. E ele a guardava no bolso do uniforme, onde ela ficava se mexendo.

A idéia era botá-la dentro da bolsa que dona Risoleta deixava em cima da mesa, enquanto dava aula. Num momento em que ela estava de costas, escrevendo a lição no quadro-negro, o próprio Tição realizou a façanha: foi até lá com passo macio de gato, abriu a bolsa, desatou o barbante, jogou a perereca dentro e tornou a fechar, voltando de mansinho para a sua carteira. Na vista de todo mundo, menos da professora: tivemos de fazer força para conter o riso.

Dona Risoleta não abriu mais a bolsa até o fim da aula. Para não ficarmos sem saber o que aconteceria, confiamos a dois colegas a missão de segui-la de maneira disfarçada.

Não precisaram ir muito longe. No dia seguinte ouvíamos deles, na hora do recreio, entre gargalhadas, o que havia acontecido. No bonde a caminho de casa viram quando ela abriu a bolsa para tirar o dinheiro e pagar ao condutor. O que saiu foi uma perereca, a pular adoidada sobre a cabeça dos passageiros. Um pandemônio: alguns até saltaram do bonde andando, a começar pelo próprio condutor.

Naquele mesmo dia dona Risoleta comunicou à diretora que não daria mais aula para nós.

E HAVIA a aula de música. Era também facultativa, mas íamos todos de bom grado, por ser muito divertida, pela bagunça que fazíamos. Quem ensinava era o seu Asdrúbal, o único professor homem. Tinha uma careca brilhante, uma cara de lua e um sorriso bom. A voz era de barítono. Constava que cantava ópera, já se havia apresentado no Teatro Municipal. Com os bracinhos curtos, balançando o corpo roliço de João-Teimoso, regia o canto da molecada:

117

Viva o sol
Do céu de nossa terra
Vem surgindo
Atrás da linda serra.

Dividia a turma em grupos, conforme o tom de voz, e cada grupo começava a cantar num momento diferente, para compor um coro de várias vozes desencontradas. O que terminava sempre em algazarra, pois fazíamos questão, para desespero dele, de cantar tudo errado, entrando fora de hora e de compasso.

Seu Asdrúbal se sentava no piano, de costas para nós, tentando impor alguma afinação ao nosso coro de miados de gato. O aluno mais perto da porta se levantava, sorrateiro, e escapulia, fechando-a atrás de si, enquanto outro tomava o seu lugar. O professor se voltava para fiscalizar a turma, que fingia levar a sério a cantoria. E não dava por falta do fujão, e de outro, e mais outro, e outro ainda... À medida que olhava, ia ficando intrigado, estranhando alguma coisa, sem chegar a perceber que o número de alunos era cada vez menor. Até que, dos trinta, restavam apenas uns doze, e onze, dez... Nem assim o homem, distraído lá com a sua música, dava pela coisa. Até o dia em que sobraram apenas seis e tão logo seu Asdrúbal se voltou para o piano, escaparam todos de uma vez, em debandada silenciosa, porta afora, deixando a sala vazia.

Havia também uma brincadeira, que era botar rabo nas professoras. Brincadeira perigosa, que às vezes acabava mal. Era um rabo de papel, podia ser de tiras de jornal ou mesmo de pano, como os dos papagaios que empinávamos. Bastava amarrá-lo num alfinete torto como um anzol e dependurá-lo com delicadeza na parte de trás da saia, quando a professora estivesse de costas.

Um dia o menino escolhido para realizar a proeza foi um caolhinho de nome Noraldino, que ficava uma fera quando o chamávamos de Zarolho. Pois o Zarolho, talvez por não enxergar direito, deu foi uma boa alfinetada no traseiro da dona Zelma, professora de desenho, uma gorducha, a quem chamávamos de dona Zebra, por ser muito brava e viver dando reguada na mão da gente quando desenhávamos. Dona Zebra soltou um relincho mesmo de zebra e se virou, desferindo um tapa na cara do Zarolho, que no impulso saiu da sala para fora ca-

120

tando cavaco e nunca mais voltou, pois no mesmo dia foi expulso da escola.

DE TAIS brincadeiras o Birica não participava. Dizia que eram coisas de criança, ele tinha mais o que fazer. Na verdade a sua preocupação era com o que havia de malicioso ou imoral na escola. Não vou dizer que fosse dele tudo o que aparecia escrito ou desenhado na parede das privadas, mas era quem procurava iniciar os menores na prática daquilo que os desenhos ou escritos representavam.

Até que um dia resolveu implicar comigo.

Tínhamos um colega, o Tininho — acho que já falei nele. O tal que levou o tostão do Birica. O Tininho, o Dico (que foi suspenso por causa da barata) e eu éramos muito amigos. Todo dia voltávamos juntos da escola e nos separávamos na esquina da praça, no alto da Avenida João Pinheiro. Tininho ia para um lado, eu para outro e o Dico seguia em frente. Na hora que cada um tomava seu rumo, nossa despedida era muito tumultuada, pois estávamos jogando "dorme com essa", ou seja, um tapinha, onde quer que acertasse, que cada um se empenhava em ser o último a dar:

— Dorme com essa! — dizia um, encostando a mão no outro.

— Dorme com essa! — reagia o outro, devolvendo o gesto.

Ganhava quem fosse mais rápido, como no duelo entre o mocinho e o bandido. E era aquela correria rua afora, um atrás do outro, para revidar.

Sendo três, a situação se complicava: às vezes o perseguidor de um passava a ser perseguido pelo outro, e este pelo primeiro: ficávamos horas nessa brincadeira, e mesmo chegando tarde em casa e ganhando pito, não desistíamos: era uma questão de honra não "dormir com essa".

Naquele dia, o Tininho disse para o Dico, na hora do recreio, se vangloriando:

— Você ontem dormiu com essa.

— Hoje quem vai dormir é você — retrucou o Dico.

O Jacaré, que ouvia a conversa, meteu o bedelho sem ser chamado, perguntando com ar de deboche:

— Que conversa de fresco é essa?

O Tininho, que não gostava dele, como aliás todo mundo, ficou ofendido por ter sido chamado de fresco e respondeu mandando o nome da mãe. O Jacaré avançou contra ele. Dico logo saltou entre os dois para impedir:

— Covardia, ele é menor do que você.

— Xingou minha mãe.

— Então bate em mim primeiro.

— Vem no braço se você é homem — e Jacaré olhou ao redor, já procurando o Birica.

Coloquei-me entre os dois e cuspi no chão, como mandava o código:

— Quem for homem pisa aqui primeiro.

Dico foi o primeiro a pisar no cuspe. Mas o Tininho, enraivecido, não queria saber daquilo:

— Deixa ele comigo, Dico! Eu quebro a cara dele! — e, pequenino diante do outro, ainda assim tentava acertar com um soco a queixada do Jacaré. O que me deixou na maior admiração, pois o Tininho, bem menor do que eu, demonstrava muito mais coragem: no fundo, eu tinha feito corpo mole e deixado o Dico passar à frente para defendê-lo, pois não estava com a menor vontade de brigar com o Jacaré.

Foi quando se ouviu uma voz atrás de nós:

— Que é que está acontecendo aí?

Era o Birica, abrindo caminho entre a meninada que se juntara ao redor, para apreciar a briga. Todos, reverentes, o deixaram se aproximar. Mãos na cintura, ele se colocou na minha frente:

— Provocando briga aí, seu covarde?

Mais tarde eu não saberia explicar como pôde acontecer o que se passou então. Violência não era comigo. Preferia resolver as coisas com calma, pois quando a gente perde a cabeça acaba fazendo bobagem e depois se arrepende. Se me vi estimulando o Dico a brigar com o Jacaré, foi só porque ele estava defendendo o Tininho que, embora valente e brigão, era muito mais fraco, ia levar uma surra da-

123

quelas. Não fiz o mesmo que o Dico porque na verdade eu não conseguia sentir raiva do Jacaré a ponto de brigar, como não sentia de ninguém. Quando alguém fazia alguma coisa contra mim, antes de ficar com raiva eu pensava que ninguém pode ser tão ruim a ponto de desejar mal aos outros. Se aconteceu é porque ele perdeu a cabeça, ou então porque não entende direito as coisas, é burro ou ignorante — se eu fosse assim também, em seu lugar faria o mesmo.

Só que, por causa disso, não acho que possam me chamar de covarde.

Pois eu, que seria capaz de tudo para evitar uma briga com o Jacaré, deixando de imitar o Dico e dando aos outros e até a mim mesmo a impressão de estar com medo, no instante em que ouvi aquela palavra, não sei o que me deu: como se outra pessoa é que tivesse reagido e eu vendo tudo do lado de fora.

O que vi foi meu braço se erguer, como impulsionado por uma mola, e desferir violenta bofetada na cara do Birica.

O pasmo ao redor foi total. Ninguém podia acreditar no que tinha visto. Apanhados de surpresa, todos agora esperavam, num silêncio respeitoso, o que estava para acontecer.

Birica chegou a cambalear, levando a mão ao rosto, que logo ficou vermelho, com a marca dos meus dedos. Eu tinha batido mesmo com força,

124

uma força maior do que sabia ter. Vi que ele me olhava, atônito, um olhar abobalhado de quem não sabe o que pensar. Instintivamente protegi o rosto com os punhos fechados, me preparando para a briga e esperando a reação dele, que seria de me massacrar. Me preparei até para morrer, quando ele, enorme diante de mim, desfechasse o primeiro soco.

Em vez disso, o que aconteceu não podia ser mais surpreendente para mim e para todo mundo. Ele fez um gesto vago com a mão no ar, e as palavras saíram gaguejadas de sua boca:

— Não precisa se ofender, Fernando. Eu falei brincando... Me desculpe.

Naquele instante, por pouco o meu queixo não caiu de tanto espanto, não ficou maior do que o do próprio Jacaré, que assistia a tudo de boca aberta ali ao lado: o Birica me pediu desculpa!

Afinal entendi o que havia acontecido: Birica, o valentão, aquele com quem ninguém podia, e que me chamara de covarde, é que estava acovardado! Como a desejar fazer as pazes, ele agora esboçava um gesto de quem queria mas não ousava botar o braço no meu ombro:

— Eu falei brincando — repetiu, e tentou sorrir.

Daquele dia em diante, não passei a ser o valentão da escola, como seria de esperar — mas ninguém mais respeitou a valentia do Birica.

CAPÍTULO VII
O MENINO NO ESPELHO

Pouco tempo depois eu iria viver uma das experiências mais fantásticas da minha vida.

Tudo começou com aquela máquina fotográfica, marca Agfa, em forma de caixotinho. Gerson não deixava que ninguém pusesse a mão nela, a não ser quando ele próprio queria ser fotografado. Então contava seis passos e ia postar-se diante da máquina, enquanto alguém, a seu pedido, de costas para o sol, com o cuidado de quem segura um alçapão com passarinho dentro, apenas apertava o botão. Quase sempre aparecia na foto, além do fotografado, a sombra comprida de quem batia a chapa.

As câmeras fotográficas eram verdadeira preciosidade, e quem tinha uma, como o Gerson, despertava inveja em todo mundo.

Um dia ele me disse que ia fazer uma experiência. Mandou que eu ficasse junto ao muro branco do quintal, como se estivesse conversando com alguém. Depois de bater a foto, fez com que eu passasse para o lugar desse alguém, e sem rodar o filme tornou a fotografar.

Revelada a foto, veio me mostrar o resultado, me enchendo de assombro: um retrato em que eu aparecia duas vezes, como se fosse outra pessoa, conversando comigo mesmo!

Tenho até hoje essa foto, que deu margem a tantas fantasias, quando eu era menino: ficava a contemplá-la, fascinado, pensando como seria bom se realmente existisse uma pessoa igual a mim.

Minha aspiração naquela época era esta: encontrar um sósia. Não pensava em outra coisa, desde que assisti a um filme em que o ator fazia dois papéis: vai passando por uma rua e de repente esbarra num homem absolutamente igual a ele. Os dois se olham, espantados. Só que um era detetive, o outro era bandido, o que acabava criando uma grande confusão.

Mais tarde fiquei sabendo que o truque era o mesmo que o Gerson havia usado com a sua máquina de retratos: expor duas vezes o mesmo filme.

A partir de então, passei a procurar um sósia. Onde quer que eu fosse e houvesse outros meninos como eu — na escola, no circo, no cinema, no campo de futebol — buscava encontrar alguém parecido comigo. E procurava com tanta intensidade, com tamanha certeza de encontrar, que não tinha

128

dúvida alguma: mais cedo ou mais tarde esbarraria com um, como o detetive naquela fita.

Só não poderia jamais imaginar que seria da maneira como um dia aconteceu.

Nas minhas buscas, não deixei de encontrar meninos bastante parecidos comigo. Na associação de escoteiros havia um, chamado Luisinho, que era a minha cara, cuspida e escarrada. Mas só de longe: se a gente observasse de perto, acabava descobrindo uma porção de diferenças. Ele era um pouquinho mais baixo do que eu, meio dentuço e tinha os cabelos mais claros. Sua voz também era diferente da minha, fina e esganiçada, e ao falar ele tinha o hábito, que eu não tinha, de franzir a cara como quem está com dor de barriga. Enfim: era completamente diferente de mim.

Mesmo os gêmeos que eu conhecia não eram lá tão iguais como se dizia. Na nossa classe havia dois irmãos gêmeos, o Beleléu e o Catatau. Eram parecidíssimos, a ponto de ser confundidos pela professora. Mas se a gente reparasse bem, descobria que um tinha o rosto mais fino que o outro, não sei se o Beleléu ou o Catatau, e um tinha uma berruga no queixo que o outro não tinha, não sei se o Catatau ou o Beleléu. De qualquer maneira, tivesse eu um irmão gêmeo como eles, e já me daria por muito satisfeito.

POR que diabo eu queria encontrar alguém igual a mim? É o que ficava pensando, a olhar a minha própria figura refletida no espelho Eu não achava graça nenhuma em mim, confesso que desde então eu já não era o meu tipo. Mas era comigo mesmo que eu tinha de viver e, neste caso, um menino feito aquele ali diante de mim é que eu gostaria de encontrar, sem tirar nem pôr. Um menino que, em tudo e por tudo, fosse absolutamente igual a mim — porque do contrário não tinha graça. Que falasse como eu, se vestisse como eu, andasse como eu, pensasse e sentisse como eu. Juntos, nós dois seríamos capazes de tudo, das melhores brincadeiras, e até mesmo conquistar o mundo.

E ficava horas me observando, fazendo caretas e gatimonhas para a minha figura, falando comigo mesmo como se fosse outra pessoa:

— Agora, por que você não cala a boca e escuta o que eu estou falando? Por que tem de ficar me imitando, repetindo tudo que eu faço?

Levantava a perna, e ele levantava também, ao mesmo tempo. Abria os braços, e ele fazia o mesmo. Coçava a orelha, e ele também.

Mas o que mais me intrigava era a única diferença entre nós dois. Sim, porque um dia descobri, com pasmo, que enquanto eu levantava a perna esquerda, ele levantava a direita; enquanto eu coçava a orelha direita, ele coçava a esquerda. Reparando bem, descobria outras diferenças. O escudo

130

da escola, por exemplo, que eu trazia colado no bolsinho esquerdo do uniforme, na blusa dele era no direito.

Para testar, coloco a mão direita espalmada sobre o espelho. Como era de esperar, ele ao mesmo tempo vem com a sua mão esquerda, encostando-a na minha. Sorrio para ele e ele para mim. Mais do que nunca me vem a sensação de que é alguém idêntico a mim que está ali dentro do espelho, se divertindo em me imitar. Chego a ter a impressão de sentir o calor da palma da mão dele contra a minha. Fico sério, a imaginar o que aconteceria se isso fosse verdade. Quando volto a olhá-lo no rosto, vejo assombrado que ele continua a sorrir. Como, se agora estou absolutamente sério?

Um calafrio me corre pela espinha, arrepiando a pele: há alguém vivo dentro do espelho! Um outro eu, o meu duplo, realmente existe! Não é imaginação, pois ele ainda está sorrindo, e sinto o contato de sua mão na minha, seus dedos aos poucos entrelaçarem os meus.

Puxo a mão com cuidado, descolando-a do espelho. Em vez da outra mão se afastar, ela vem para fora, presa à minha. Afasto-me um passo, sempre a puxar a figura do espelho, até que ela se destaque de todo, já dentro do meu quarto, e fique à minha frente, palpável, de carne e osso, como outro menino exatamente igual a mim.

— Você também se chama Fernando? — per-

131

gunto, mal conseguindo acreditar nos meus olhos.

— Odnanref — responde ele, e era como se eu próprio tivesse falado: sua voz era igual à minha.

— Odnanref?

Sim, Odnanref. Fernando de trás para diante. Era em tudo semelhante a mim, menos em relação à direita e à esquerda, que nele eram ao contrário, sendo natural, pois, que seu nome, isto é, o meu, fosse ao contrário também. Por uma coincidência, Odnanref era o meu nome de guerra, na sociedade secreta Olho de Gato.

— Por isso mesmo — confirmou Odnanref, dando-me um tapinha nas costas e rindo, feliz: — Foi você que me desencantou, adotando o meu nome. Senão eu jamais teria vindo, pois a lei do mundo dos espelhos proíbe terminantemente que a gente venha ao mundo de vocês. A menos que alguém consiga desvendar o nosso encanto. O meu era esse, e você adivinhou. Eu só estava esperando que você me puxasse, como acabou de fazer. O contrário é possível, como aconteceu com Alice, que passou para o lado de dentro do espelho e foi nos visitar. Também, até hoje foi a única a realizar essa proeza.

Depois de esfregar os olhos e me certificar de que não estava sonhando, voltei-me para o espelho, procurando ver nele a minha figura refletida. Se visse, seria capaz de retirá-la também? E quantas vezes isso aconteceria, para formar uma verdadeira

132

legião de meninos iguais a mim? Mas simplesmente não vi ninguém no espelho, como aconteceu quando fiquei invisível.

No espelho eu via apenas refletidos os móveis do quarto atrás de mim. E a porta de entrada, que acabava de se abrir para o Toninho entrar.

Foi ele aparecer e Odnanref de um salto se agachou rapidamente, escondendo-se atrás da minha cama.

— Que é isso, Fernando? Falando sozinho? — estranhou meu irmão.

Disfarcei como pude, até que ele saísse do quarto. O meu sósia reapareceu, com um suspiro de alívio:

— Puxa, por pouco ele não me vê! Precisamos tomar cuidado e combinar umas coisas, para que isso não torne a acontecer.

DESLUMBRADO com a perspectiva de ter alguém igual a mim, como um perfeito irmão gêmeo, eu não imaginava as dificuldades que iria enfrentar. A falta de minha imagem no espelho, por exemplo, era uma delas: me criava problemas para pentear os cabelos ou escovar os dentes sem poder me ver.

Combinamos que, a partir de então, ele me substituiria quando eu quisesse, mas jamais deveríamos ser vistos juntos. Ninguém poderia desconfiar de nossa existência dupla, pois com isso se

134

acabaria o encanto significando o seu imediato regresso, para todo o sempre, ao interior do espelho.

Em compensação, ele me revelou uma surpresa a mais, como se fosse pouco o milagre de sermos dois: sempre que eu quisesse, poderia ver, ouvir, pensar e sentir tudo o que ele via, ouvia, pensava e sentia. Se ele comesse um doce, por exemplo, eu podia sentir o gosto; se achasse graça em alguma coisa, eu podia rir, mesmo que estivesse a quilômetros de distância. O importante é que só se dava quando eu quisesse: das coisas ruins ou simplesmente sem graça eu me dispensaria de tomar conhecimento.

O que significava que ele poderia tomar remédio em meu lugar. E assistir às aulas mais cacetes (para mim eram quase todas), sem que eu deixasse de aprender o que nelas se ensinasse. Poderia até mesmo fazer provas para mim, enquanto eu ia empinar papagaio, pegar passarinho, jogar pião ou bola de gude.

E assim foi, durante algum tempo. Nunca me diverti tanto. Só que eu tinha de tomar muito cuidado para não trair o meu segredo. Às vezes me distraía e minha mãe surgia no alto da escada da cozinha:

— Uai, Fernando, como é que você já está aí embaixo no quintal, se ainda agora te vi lá no seu quarto? Por onde você desceu?

Passava outros apertos, como o da blusa do

135

uniforme de Odnanref, que era ao contrário, o escudo do lado oposto. Tinhamos de trocar de blusa todo dia que ele ia à aula em meu lugar. Até o cabelo criou problemas: eu partia do lado esquerdo e ele do lado direito. Tivemos de acabar ambos partindo ao meio.

Pois um dia eu é que acabei por distração indo à aula com a blusa dele. A professora percebeu o bolso do lado direito, tive de inventar uma história complicada para explicar aquilo: um colega me havia arrancado o bolso numa briga e a costureira pregou do lado errado... Não sei se ela acreditou.

Mas o pior é que Odnanref era canhoto, e quanto a isto não podíamos fazer nada. Quando ele ia almoçar com minha família, para que eu pudesse ficar vadiando na rua, era difícil disfarçar, pois não sabia segurar o garfo com a mão direita. E na escola era pior ainda, já que só escrevia com a mão esquerda. Tive de inventar que eu estava treinando para usar ambas as mãos, tinha jeito com as duas, tanto fazia usar uma ou outra. E as pessoas grandes ficavam admiradas, dizendo que nunca haviam percebido que eu era ambidestro. Mais uma palavra nova que eu aprendia.

Odnanref me revelava verdadeiras maravilhas. Conhecia coisas do outro mundo. Me contou que existe vida em outros planetas, em milhões deles, com tudo igual à vida na Terra, reprodução exata de tudo que aqui acontece, as mesmas pessoas, os mesmos países, os mesmos problemas. Que no mundo dos espelhos, de onde ele viera, era possível viajar para o passado, correr os séculos até o princípio dos tempos e a criação do universo. Ou ir para o futuro, saber o que aconteceria de hoje até o final dos tempos. E mais — ele dizia com a sua voz igualzinha à minha:

— Todo mundo tem na vida uma oportunidade de ser dois. Nos momentos de coragem, por exemplo, em que a pessoa faz coisas que se julgava incapaz. Os atos de heroísmo, nos instantes de perigo, quando a gente é capaz de pular um muro ou subir numa árvore que normalmente seria impossível de conseguir, quem você pensa que está fazendo tudo isso senão o outro?

Aquela tinha sido a minha oportunidade, jamais teria igual.

E viveríamos felizes um com o outro, desde que ninguém soubesse, mas um dia botei tudo a perder.

FOI num sábado — me lembro bem. Tinha chovido muito, e nós ficáramos em casa, brincando no quarto, distraídos — pois nos bastávamos em nossas brincadeiras, e nos completávamos, não precisando de mais ninguém para que a vida fosse uma fonte permanente de alegria e distração. Eu estava sentado no chão, colando umas figurinhas num álbum e Odnanref, de pé, junto ao armário (a figura dele, é lógico, não se refletia no espelho), tentando consertar para mim um automovinho de corda. Foi quando minha mãe me chamou para tomar o remédio (um fortificante, pois achava que eu andava fraquinho). É claro que pedi ao Odnanref para ir em meu lugar, e ele foi de bom grado.

Eu esquecera de trancar a porta do quarto e de súbito o Toninho entrou. Quando me viu sentado ali no chão, arregalou os olhos e quase caiu sentado também:

— Como? Se você passou por mim neste segundo ali no corredor?

— Você está é maluco — tentei disfarçar, o pensamento girando rápido na cabeça, em busca de uma explicação, antes que fosse tarde demais. Naquele instante Odnanref, já tendo tomado o remédio que minha mãe lhe havia dado, voltou calmamente para o quarto.

Toninho se virou e viu quando ele surgiu na porta. Ficou olhando para ele, depois para mim, novamente para ele, com os olhos deste tamanho. De repente soltou um berro e precipitou-se porta afora, atropelando o meu sósia e atirando-o ao chão. Dei um pulo e ajudei-o a se levantar. Depois tranquei a porta por dentro, ofegante, a ouvir a gritaria do Toninho lá fora, nos denunciando a todo mundo.

— E agora? — perguntei, ansioso.

— Não há nada a fazer — e ele me abraçou:
— Estou descoberto, tenho de ir embora.

— Às vezes ainda há jeito — disse eu, comovido, retribuindo o abraço: — Não me deixe sozinho, não vá embora, por favor.

E procurava contê-lo. Mas ele se desembara-
çava delicadamente de mim:

— Tinha de acontecer, mais cedo ou mais tarde. Até que fomos de sorte, fiquei tanto tempo...
Há pessoas que não conseguem senão alguns segundos. Outras não conseguem nunca... Adeus,
Fernando, meu irmão. Feche os olhos, por favor.

— Adeus, Odnanref — murmurei, quase chorando.

Fechei os olhos, como ele pedira. Quando tornei a abri-los, vi por entre as lágrimas a minha
figura refletida no espelho, como sempre. Ele se
fora para nunca mais.

Ouvi que batiam na porta com insistência:

— Fernando, abre aí!

Era meu pai, minha mãe, o Gerson e até a
Alzira, convocados pelo Toninho para testemunhar
o fenômeno. Mal destranquei a fechadura, eles ir-
romperam quarto adentro num tropel, como se fossem salvar o pai da forca:

— Onde? Onde está o Fernando?

— Estou aqui — respondi, admirado: — Não
estão me vendo?

— O outro Fernando! O outro Fernando!

139

— Que outro?

Olhavam ao redor, como se estivessem procurando alguém. Não esqueceram de espiar debaixo
da cama ou dentro do armário. Depois se voltaram
para o Toninho:

— Acho que você está ficando maluco — disse o Gerson.

— Nesta casa ultimamente andam acontecendo coisas muito malucas — disse mamãe.

— Sempre aconteceram — disse papai.

E saíram todos. Mais tarde, ao jantar, quando
comentaram o episódio, não deixaram de gracejar
com o Toninho, já descrentes do que ele insistia
em dizer que era a pura verdade: vira dois Fernan-
dos, um dentro do quarto e o outro entrando, depois de tomar o remédio.

— Acho que você é que anda precisando de
remédio — comentei, mais calmo: — Está sofrendo
da vista.

De volta ao quarto, fui levar uma palavra de
tranqüilidade para o meu amigo no espelho:

— Tudo bem — e sorri para ele.

Mas ele se limitou a dizer ao mesmo tempo:

— Tudo bem — e sorriu para mim.

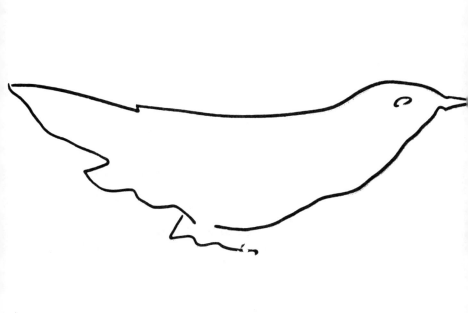

CAPÍTULO VIII
MINHA GLÓRIA DE CAMPEÃO

NASCI no dia 12 de outubro, aniversário do Gerson, que estava fazendo oito anos. Meu irmão tinha pedido de presente uma surpresa, e surpresa ele teve: nasci em casa, como acontecia naquela época, e minha mãe mandou botar o bebê na cama do Gerson, como presente de aniversário.

Quando ele acordou e deu comigo a seu lado, ficou na maior alegria. Foi um custo para se convencer de que eu não era um brinquedo dele, que pudesse ficar carregando pela casa de cá para lá o tempo todo.

Daí o carinho com que ele me tratou a vida toda. Embora o Toninho, que era só dois anos mais velho, sempre tenha sido também muito meu amigo, e fosse o meu companheiro de quarto, o Gerson, pelo fato de já ser para mim um homem com

142

seus dezesseis anos, me despertava uma grande fascinação; eu queria ser como ele quando crescesse.

Diga-se de passagem que, ao completar oito anos, também pedi à minha mãe um bebê. Ela achou muita graça, botando na minha cama um boneco, o que me deixou com muita raiva ao acordar, pois além do mais eu não era menina para ganhar um presente daqueles.

Estou contando tudo isto para chegar a um episódio de minha infância que devo ao Gerson, e relacionado a futebol, que sempre foi a sua grande paixão. Até hoje, tantos anos passados, com filhos crescidos e cheio de netos, ainda joga futebol de salão e tem a parede do seu quarto decorada com retratos de jogadores.

Quando garotinho eu ia vê-lo jogar no gol do América, que era o time de nossa devoção — primeiro nos juvenis, depois no time titular, do qual era reserva, apesar de sua pouca idade.

Até então, o futebol vinha constituindo para mim uma série de sucessivos fracassos. Para começar, na escola eu sempre ficava por último na escolha dos times que os dois melhores faziam, alternadamente, depois de tirarem par-ou-ímpar para saber quem começava. No dia em que um dos que escolhiam me apontou por distração antes do fim, os já escolhidos protestaram:

— Ah, ele não!

Tinha de me conformar com o fato de nin-

guém me querer no seu time. Procurava me conso-
lar com a idéia de que me rejeitavam não por jogar
mal, mas por ser dos menores. Não podia nem
apelar para a ignorância, como fazia o Bolão, um
gorducho que mal conseguia correr em campo, mas
que ia avisando logo, por ser dono da bola:

— Ou eu jogo, ou ninguém joga.

Não que eu fosse assim tão ruim, dos piores.
Conseguia controlar a bola que me passavam (quando passavam) jogando em geral (quando deixavam)
na ponta direita, por ser pequenino mas veloz. Conseguia também levá-la de vez em quando à linha de
fundo, como fazem os pontas mais famosos. Só que
acabava saindo pela linha de fundo com bola e tudo,
pois me esquecia de centrar.

Eu era muito distraído, eis o problema. Ficava
prestando atenção em coisas que nada tinham com
o jogo: um carro que passava na rua, um passarinho pousado na árvore, um avião no céu... De
repente era aquela gritaria dos outros, me incenti-
vando:

— Vai nela! Vai nela!

Era comigo? Eu caía das nuvens, procurando
ir na bola, mas nem mesmo sabia onde ela estava:
quando a descobria, o zagueiro adversário já se havia antecipado, afastando o perigo, enquanto os
companheiros reclamavam, pedindo minha substituição.

O resultado é que eu era um peso morto nas

145

raras peladas que me deixavam disputar, tanto na escola como no campinho daquele lote vazio perto de casa.

Um dia experimentei jogar de goleiro, e o resultado foi ainda mais desastrado: engoli cinco gols, sendo três contra, feitos por mim mesmo, na hora da confusão (dois de cabeça e um com o traseiro).

TAMANHA era a minha frustração por causa do futebol, que resolvi treinar sozinho, para ver se melhorava o meu rendimento no jogo. Ia para o campinho de pelada quando já não havia ninguém lá, e ficava horas a me distrair com uma bola que meu pai me dera, a meu pedido. (Não me ocorreu apelar, como o Bolão, para o fato de agora também ser dono da bola.) Tentava, sem resultado, matar na cabeça, controlar no peito ou no joelho, sustentar a bola no ar fazendo embaixada, como via os grandes jogadores fazerem. Conseguia no máximo dois ou três lances e ela rolava logo para longe de mim, resvalava no meu pé e o chute em gol saía espirrado, sem direção. Em geral eu voltava para casa coberto de suor do esforço feito e de desânimo com o resultado obtido.

Entardecia, quando um dia, sentado no tijolo que marcava um dos lados do gol, pensando em desistir, levantei o rosto, sentindo que alguém me observava de longe. Era o Gerson. Ele se aproximou:

— Não é nada disso. Está tudo errado. Vou te ensinar como se faz.

Disse que estava ali havia muito tempo, acompanhando o meu esforço. Pegou a bola e mostrou como eu devia fazer para erguê-la do chão com o pé: uma puxadinha por cima e depois enfiar de leve o bico da chuteira por debaixo. O chute devia ser com o peito do pé e não com a ponta, nas bolas altas; nas rasteiras, com o pé meio de lado:

— Assim, quer ver?

E ele chutava com perfeição, a bola ia direitinho ao gol. Depois me mostrou como se dava cabeçada: com a testa e não com o alto da cabeça. Por isso é que eu chegava sempre em casa com ela doendo. E a testa é que ia na bola, não a bola na testa.

Naquele dia e nos que se seguiram me ensinou uma porção de coisas assim, que eu ia aprendendo lentamente, para depois tentar praticar sozinho. E olha que ele jogava era no gol.

Não adiantou grande coisa. Na escola eu continuava o último a ser escolhido e me deixavam entrar no time só para fazer número, quando não havia ninguém mais para completá-lo. Cheguei a passar pela humilhação de exigirem que eu jogasse o primeiro tempo num e o segundo tempo noutro,

147

para compensar a desvantagem de me terem como jogador.

Não que este ou aquele já não tivesse percebido em mim algum progresso. Mas haviam decidido que eu era ruim de bola e não mudariam nunca de opinião. Além do mais, eu continuava sem conseguir acompanhar o tempo todo o desenrolar do jogo: qualquer coisa me distraía a atenção.

Houve um dia em que, final de partida, a bola veio rolando até meus pés. Eu estava praticamente sozinho diante do gol e em posição legal, o goleiro já batido, caído ao chão, era só chutar. Em vez disso, pensando que não estava valendo, que o juiz já tinha apitado ou qualquer coisa assim, peguei a bola com a mão, me voltei para os companheiros que, na maior gritaria, insistiam comigo que chutasse, e perguntei ingenuamente:

— Que foi que aconteceu?

Logo o goleiro adversário se aproximou, e me tomou a bola das mãos, dizendo em tom de zombaria:

— Com licença, artilheiro.

Perdemos o jogo por causa disso. Naquele dia voltei para casa chorando.

ACABEI desistindo de jogar e me limitando a ir com o Gerson e o Toninho assistir às grandes partidas. Mas a minha mágoa continuava. Eu me sentia

148

um fracassado na vida, por não dar certo no futebol.

Pois foi exatamente no dia 12 de outubro, quando completei oito anos, que se deu a minha reabilitação, de maneira tão fantástica que eu mesmo não acreditaria se me contassem. Como já disse, foi graças ao Gerson, que também fazia anos naquele dia.

Era o jogo de decisão final do Campeonato Mineiro: Atlético contra América. Torcíamos apaixonadamente pelo América, não só por ser o time de nossa predileção mas, com mais razão ainda, porque o próprio Gerson ia jogar de goleiro, em substituição ao famoso Princesa, que estava contundido. Apesar de seus dezesseis anos, e jogando ainda nos juvenis, era muito desenvolvido para a idade, podendo perfeitamente passar por homem feito, como os demais do primeiro time. A formação do América, segundo o esquema dois-três-cinco que vigorava na época, era a seguinte:

GERSON

CHICO PRETO   NEGRÃO

RAFAEL   PIMENTÃO   BEZERRA

JAIR   JAVERT   JORIVÊ   JACY   JICO LEITE

A linha, como se vê, era toda ela composta de nomes começados com J (inclusive o ponta esquerda, Chico Leite, que por causa disso passou a ser Jico Leite). Quem não acredita, que consulte os jornais da época.

O time do Atlético se compunha dos seguintes craques:

KAFUNGA

NARIZ   MAURÍCIO

MAURO   BRANT   CAIEIRA

CHAFIR   SAID   OIRAM   JAIRO   CUNHA

Oiram era o grande centro-avante Mário de Castro, cujo pai não admitia que ele fosse jogador de futebol, e por isso figurava com seu primeiro nome de trás para diante.

Gerson me reservou uma primeira surpresa: tinha me arranjado um uniforme completo do time do América, para que eu entrasse no campo como mascote.

Só o fato de sair do vestiário em meio aos jogadores de verdade já me enchia de emoção. Sentia-me ainda mais pequenino no meio daqueles homenzões peitudos e de pernas cabeludas que invadiam o campo como uma manada de búfalos, sob os delirantes aplausos da torcida, que lotava completamente o estádio do América. Gerson me conduzia pela mão, quando nos alinhamos para fazer o cumprimento de praxe à assistência. Depois os jogadores se espalharam, batendo bola e fazendo exercícios de aquecimento. Fiquei por ali, ciscando entre um e outro, a viver a minha grande emoção.

Mas o meu maior momento de glória ainda estava para chegar.

O juiz convocou os jogadores, que se dispuseram a dar início à partida, colocando-se cada um em seu lugar no campo. Gerson foi para o gol, depois de me deixar em companhia do treinador no banco dos reservas.

Foi dada a saída. Logo se viu que iríamos assistir a uma peleja das mais emocionantes. Os ataques se sucediam de lado a lado. O América pressionava e Kafunga, num de seus grandes dias, fazia defesas prodigiosas. Gerson não deixava por menos. Os contra-ataques do Atlético encontravam no meu irmão uma barreira intransponível:

— Gerson não está deixando passar nem pensamento! — diziam os reservas, a meu lado, entusiasmados.

Os lances violentos também se sucediam. A todo momento um jogador era substituído por contusão. O primeiro tempo terminou empatado de zero a zero.

Logo ao início do segundo tempo, o juiz apitou contra o América um pênalti que nossa torcida reclamava, revoltada, jamais ter existido. Cobrada a penalidade máxima, Gerson não teve como segurar, apesar de conseguir tocar os dedos na bola, numa ponte magistral. Um a zero contra nós.

Por mais que o América reagisse, não conseguia igualar o marcador. Faltavam quinze minutos para o término da partida, quando enfim uma bola cruzada de Javert para a área foi dar na cabeça de

151

Jacy, que emendou de primeira, sem que Kafunga nada pudesse fazer. Um gol de susto, como se costuma dizer. Estava empatada a peleja.

O tempo passando, as duas equipes buscando ferozmente o desempate. Aos cinco minutos do término da partida, houve uma interrupção, não entendi bem por quê, e, pelo jeito, a torcida ainda menos, pois prorrompeu na maior gritaria. Ao reiniciar-se o jogo, a linha americana esboça um perigoso ataque pela direita. De posse da bola, Jico Leite penetra a defesa contrária, mas se choca violentamente com Nariz e rola no chão, contundido, botando sangue pelo nariz.

Pânico nas hostes americanas: todos os reservas já haviam entrado em campo, não sobrara ninguém para substituições, que fazer? Segundo as regras daquele tempo, time nenhum podia jogar desfalcado, sob pena de ser eliminado do campeonato.

Disputa interrompida, o jogador machucado é retirado na maca. Gerson vai confabular com o juiz, gesticula, depois vem correndo até o banco dos reservas onde me encontro, em companhia do treinador e do massagista. Fala qualquer coisa ao ouvido do treinador, me apontando, e este se volta para mim, com ar grave:

— Você vai ter de entrar, Fernando. Não tem mais ninguém. Você é a nossa última esperança.

Não vacilei: além do mais, era justamente a ponta direita, minha posição predileta! Pois se o

152

América precisava de mim para completar o time, contassem comigo, era uma questão de honra. Apenas mais cinco minutos — mas futebol, como se sabe, é uma caixa de surpresas. Em cinco minutos tudo pode acontecer.

E aconteceu. Mal tive tempo de fazer o aquecimento. Como se fosse a coisa mais natural do mundo, entrei em campo. A aclamação da assistência foi ensurdecedora — o que não chegou a me perturbar: tinha de me concentrar na missão que me cabia. Gerson havia me ensinado muito bem o que devia fazer.

Jorivê deu a saída do meio do campo, cumprindo ordem do juiz: atrasou para Pimentão, que adiantou para Jacy. Caieira rouba-lhe a bola, passando para Chafir, que avançou perigosamente, Gerson se preparou para defender, Chico Preto aliviou, pondo para fora num chutão.

Ao contrário do que fazia nas peladas de meninos, eu procurava acompanhar, lance por lance, o desenrolar da disputa, em seus instantes finais. Chafir fez a cobrança da lateral, dando de presente para Negrão, que, sem perda de tempo, acionou Bezerra. Quando eu, estrategicamente colocado no setor direito do gramado, como me competia, já pensava que não daria tempo sequer de intervir numa só jogada, eis que Bezerra faz com que a bola venha rolando até mim.

Depois de dominá-la numa manobra que ar-

153

rancou aplausos da torcida, e tendo Jacy na cobertura, driblei Nariz, deixando-o estatelado de surpresa, e tabelei com meu companheiro. Este passou ao Jorivê, enquanto eu me deslocava para recebê-la de volta. Então disparei num pique, sob o delírio da assistência, e lá fui eu com minhas perninhas curtas no meio daqueles cavalões, driblei um, outro, deixei para trás a defesa adversária. E me vi frente a frente com o goleiro. Kafunga abria os braços gigantescos, achei que queria me pegar e não à bola. Fiz que chutava, como se fosse encobri-lo, ele pulou. Então passei com bola e tudo por entre as pernas dele e marquei o gol da vitória.

Foi aquela ovação, a torcida delirava. Logo em seguida soou o apito final e meus companheiros de equipe correram para me abraçar e carregar em triunfo. O que para eles era fácil, dado o meu tamaninho. E assim demos a volta olímpica, sagrados campeões.

CAPÍTULO IX
NAS GARRAS DO PRIMEIRO AMOR

Um DIA perguntei à Mariana:

— Você quer ser minha namorada?

A sociedade secreta Olho de Gato havia deixado de se reunir, mas Mariana e eu continuávamos nos encontrando, apenas como amigos. Os outros dois agentes secretos continuavam também por ali, prontos para entrar em ação, quando convocados: Hindemburgo com as suas cachorrices, e Pastoff, sempre acoelhado no fundo do quintal.

A resposta de Mariana me deixou estatelado de surpresa:

— Você ainda é criança.

— E daí? — gaguejei, despeitado: — Você também não é?

Ela olhou para um lado e para outro, vendo se

não havia ninguém por perto, e aproximou a boca do meu ouvido:

— Eu já tenho namorado.

Minha surpresa foi ainda maior. Tentei disfarçar com um gracejo:

— Não vai me dizer que é o Pastoff.

Mariana tinha um carinho especial pelo coelho. Mas ela continuou séria:

— Se você jura que não conta para ninguém, eu digo quem é.

Jurei com os dedos em cruz.

— Então espera um instante.

Foi até sua casa e em pouco voltava a correr, trazendo um recorte de revista:

— Olha aqui ele.

Era o retrato de um famoso artista de cinema, nem me lembro qual.

— Ora, isso aí não é namorado nenhum — comentei, com desdém, mas no fundo aliviado: — Eu digo é namorado mesmo. Gente de verdade, como eu.

Ainda me sentia ferido no meu amor-próprio, desprezado em favor de um rival inexistente:

— Esse não passa de um pedaço de papel.

Ela não se abalou:

— Pois fique sabendo que é a ele que eu amo — e beijou o retrato com fervor diante de meus olhos. Depois fez meia-volta e correu para dentro de casa, recorte apertado contra o peito.

MAIS de uma vez eu já tinha ido observar os casais nos bancos da praça, ou passeando entre os jardins. O que me intrigava era o jeito meio solene, a compostura deles. Por que ficavam sozinhos? Que é que tanto conversavam? E principalmente, por que às vezes não diziam nada, calados um junto do outro, como se estivessem aborrecidos ou pensando na morte da bezerra? Por que não iam fazer alguma coisa, tratar da vida, cada um para o seu lado?

Naquela época não se admitia que os namorados nem mesmo se dessem as mãos — a menos que já estivessem comprometidos: feito o pedido de casamento e celebrado oficialmente o noivado, podiam os dois sair então de braço dado pela rua. Podiam até mesmo ficar conversando baixinho, sentados na varanda ou no sofá da sala, desde que na presença vigilante de alguém — em geral a mãe da moça a tricotar na cadeira de balanço.

Eu já sabia tudo isto e sabia também que namorar, embora meio proibido pelos pais, ou por isso mesmo, era uma coisa boa. Mas só para as meninas. Elas é que não tinham outro assunto, principalmente as mais velhas, quando se reuniam, aos risinhos e cochichos. Para nós, homens de sete, oito, nove anos, namorar era uma bobagem, coisa para mulher. O que vinha a ser um contra-senso: como as meninas poderiam se dedicar ao namoro, se os meninos não pensavam em fazer o mesmo?

Foi o que me levou naquele dia a quebrar a regra que nos havíamos imposto de não dar confiança às mulheres, e perguntar à Mariana se queria me namorar. Jamais esperava uma negativa, e sua reação me deixou humilhado: quem ela pensava que era? Alguma princesa?

Mas num ponto não deixava de ter razão — foi o que logo concluí: namoro era coisa séria, de gente grande, e para toda a vida — namoro, noivado, casamento. Não era brincadeira de menino. Por isso ela tinha escolhido um homem para namorar e não queria saber de uma criança como eu. Pouco importava que ela também fosse criança e ele um artista de cinema, que nunca seria visto em carne e osso.

Decidi fazer o mesmo. Passei a reparar nas artistas, a fim de escolher uma para mim, a que me parecesse mais bonita. Em meio aos retratos de meus ídolos, que eram em geral jogadores de futebol e lutadores de boxe, passei a colecionar também o de atrizes de cinema, em figurinhas que acompanhavam as balas Fruna. Mas amava todas elas, indistintamente, não me decidia por nenhuma em particular. Ao contrário de Mariana, não me contentava em ter como namorada alguém que só existia no papel ou na tela.

Foi quando surgiu em Belo Horizonte aquela que passou a encarnar na vida real a figura do meu primeiro amor.

160

CÍNTIA era minha prima — filha do irmão de mamãe, que morava no Rio. Viera passar uns dias conosco. Era a primeira vez que eu tomava conhecimento da sua existência. Devia andar pelos dezessete, dezoito anos, o que queria dizer que era para mim uma mulher feita — e a mais bela que eu jamais vira de perto. Usava blusa sem manga e com decote, saia-calça, tinha os cabelos louros, os olhos verdes e ainda por cima fumava.

Mamãe se escandalizou ao vê-la tirar calmamente da bolsa um cigarro na vista de todos e acender, para depois cruzar as pernas e soltar devagarinho a fumaça pelas narinas:

— Você fumando, menina? Seu pai sabe disso?

— Ora, titia, que é que tem de mais?

— Uma moça direita não fuma.

— Hoje em dia toda mulher fuma. Não é mais pecado.

E ela desviou da testa uma madeixa de cabelos, movimentando a cabeça para o lado num gesto que me pareceu simplesmente lindo.

A sua presença fez com que nossa casa ganhasse uma aura de encanto, como um lugar privilegiado, de um fascínio que parecia impregnar o próprio ar que eu respirava. Quando ela surgia na sala, tudo se iluminava. Eu voltava correndo da escola para não perder um minuto da sua presença, e não arredava pé de casa, nem mesmo para ir ao

162

quintal, meu reino esquecido. Mamãe estranhava aquela mudança nos meus hábitos:

— Não sei o que deu nesse menino.

Nem eu mesmo sabia que estava experimentando pela primeira vez a sensação inebriante de uma paixão.

Como se fosse pouco, Cíntia tocava piano. Eu ficava a seu lado, embevecido, a ver as mãos longas e brancas deslizando pelas teclas do velho piano na sala de visitas. Em casa ninguém tocava, a não ser eu mesmo, batucando o *Bife* com dois dedos, escondido de meu pai: ele costumava dizer, certamente para silenciar a musiquinha insuportável, que ela atraía o demônio. Cíntia sabia uma porção de melodias americanas, chamadas de *fox-trot.* Veio daí, creio, o meu gosto pelo jazz:

— Toca de novo aquela primeira, Cíntia.

Ela tocava esta e aquela, a meu pedido. Depois atirava para o lado, naquele gesto seu, a cortina de cabelos que lhe caía no rosto. Um dia, ao dar comigo a contemplá-la, extasiado, inclinou-se rindo e me deu um beijo no rosto.

Meu coração disparou, e eu com ele: saí correndo da sala, fui me refugiar no fundo do quintal, pela primeira vez naqueles dias. E naquela noite não consegui dormir. Era ela que eu via diante de mim, no escuro do quarto, tocando piano, os cabelos louros, os olhos claros, a cena do beijo. Toninho, ao perceber que eu continuava acordado, che-

164

gou a perguntar se eu estava sentindo alguma coisa. Não, eu não sentia nada — a não ser o desejo de que a noite passasse depressa e chegasse logo a manhã para que eu pudesse rever a minha amada.

Porque a partir daquele instante tomei consciência de que Cíntia era o meu primeiro amor.

MAS o que é bom dura pouco. Só medi a verdadeira extensão do sentimento que me possuía, quando surgiu um tormento para submetê-lo à prova, na forma de um rival:

— Você vai sair com ele, Cíntia? — eu perguntava, como quem não quer nada, ao vê-la se penteando no quarto, enquanto o Peixoto esperava lá fora, na varanda.

— Vamos ao cinema — ela respondia, diante do espelho, juntando os lábios, como num beijo, para passar o batom.

O Peixoto era um advogado recém-formado, de anel de grau no dedo, que tivera um negócio qualquer com meu pai, e por causa disso freqüentava a nossa casa. Um dia deu com os olhos na minha prima e a partir de então começou a aparecer com uma odiosa freqüência. Em pouco os dois passaram a sair juntos. Não se podia dizer que estavam de namoro, embora já tivessem até ido passear na praça, como os demais namorados — o que não escapou à minha vigilância, pois os havia seguido de longe. Mas para mim eram muito mais do que isso: ele era um indesejável, um intruso, um intrometido em nossa casa, e ela uma traidora, por lhe dar tamanha confiança.

— Rapaz distinto, esse Peixoto — dizia minha mãe, no fundo fazendo gosto na relação dos dois: — Leva a Cíntia para passear, faz companhia a ela, e é respeitador, a gente fica mais sossegada.

Papai já não era assim tão seguro da distinção do rapaz:

— Não sei não... No fundo me parece meio finório, o que não é nada mau para um advogado. Mas não vá esse pilantra me aprontar alguma com a menina. Com que cara eu ficaria diante do seu irmão? Afinal, ele nos confiou a filha...

Era o que meus pais conversavam, sentados no sofá da sala, depois do jantar, julgando-se a sós, mas ao alcance de meus ouvidos — eu por ali a me fingir de distraído com algum brinquedo, na verdade atento a tudo que se relacionasse à minha prima. E ela com o outro no cinema, no clube, no chá-dançante... Quase não parava mais em casa, a ingrata, mal tinha tempo para mim. Eu odiava o Peixoto com todas as forças, ele acabou percebendo:

— O pirralho não vai muito comigo — disse um dia.

Fiquei indignado: me chamar de pirralho, e ainda por cima na vista dela! Atingido em meus brios, resolvi reagir. Cheguei a pensar em acionar a sociedade Olho de Gato, mas, pensando melhor, decidi me vingar sozinho: senti por instinto que não devia envolver a agente Anairam em meus problemas sentimentais. Aquilo era assunto para ser resolvido de homem para homem.

Concebi um plano diabólico para afastar da Cíntia o meu insuportável concorrente. Comecei por intrigá-lo com papai, farejando nele um bom cúmplice, embora inconsciente:

— O Peixoto esqueceu o isqueiro dele no quarto da Cíntia.

Ele havia realmente esquecido o isqueiro, mas com ela, e não no quarto. Só que para um coração em pânico valia tudo, inclusive uma mentirinha. Papai ficou aborrecido:

— O salafrário já está entrando no quarto da menina?

E não perdeu tempo em comentar com mamãe:

— É preciso a gente abrir o olho com esse moço.

Alguns dias depois voltei à carga, desta vez com a própria Cíntia:

— Ontem eu vi o Peixoto lá na Avenida de braço dado com uma moça.

Ela não chegou a se impressionar — talvez porque não soubesse o compromisso que representava o braço dado, coisa que certamente não prevalecia mais no Rio. Mas na verdade eu havia visto

168

mesmo o meu rival de braço com uma mulher. Só que não era uma moça, podia ser até a mãe dele: uma mulher mais velha, toda elegante e enfeitada.

O Peixoto, ele próprio, era metido a elegante, sempre na última moda, calça de flanela creme e paletó azul-marinho, sapato de duas cores e suspensório de couro trançado, como se usava então.

Uma noite apareceu em nossa casa com a novidade das novidades: um automóvel, novinho em folha.

— Quero estreá-lo com você.

Viera buscar minha prima para dar uma volta, e nem se dignou convidar meus pais, que dirá a mim, para ir com eles:

— Não cabe todo mundo — se escusou, empertigado: — É um carro esporte.

O carro era um daqueles chamados baratinhas, que se podia arriar a capota e tinha uma tampa atrás com dois lugares (caberia mais gente, portanto). Ficaríamos sabendo depois que nem mesmo era dele, estava apenas emprestado, em experiência, como se usava então.

Naquele tempo não se admitia também que uma moça de família andasse sozinha no automóvel de alguém; corria logo o risco de ficar falada. Não sei por que meus pais não invocaram esse princípio moral, proibindo que ela fosse.

Ali estava a minha oportunidade — decidi rapidamente: criar uma situação que deixasse o Peixoto para sempre desmoralizado diante da Cíntia. Que fazer? Jogar pó-de-mico nele? Já tinha pensado nisso — mas podia atingi-la também. Esvaziar o pneu? Botar água no tanque de gasolina? Tudo o que me ocorreu era pouco, não chegaria a comprometer o rival aos olhos da minha amada.

Foi quando dei comigo distraidamente alisando a cabeça de Hindemburgo, que se aproximara, orelhas em pé, para saber de que se tratava.

— Quem sabe se eu atiçar o Hindemburgo em cima dele...

Imaginei o Peixoto fugindo espavorido, o cachorrão nos seus calcanhares, mordendo-lhe a perna, rasgando-lhe a calça...

— Aí não, Hindemburgo.

Ao vê-lo agachar-se, pernas traseiras ligeiramente abertas, ocorreu-me a idéia luminosa:

— Aí não, Hindemburgo! — repeti, inspirado: — No carro do Peixoto! Depressa, no banco do carro! No lugar do motorista! Quando ele se sentar...

Hindemburgo compreendeu logo e partiu como um foguete para cumprir a sua missão.

Quando o Peixoto se sentou, antes de abrir a porta para que a Cíntia entrasse também no carro, estava consumado o desastre. Não houve passeio, não houve nada: Peixoto, chafurdado no assento, partiu em disparada, numa onda de mau cheiro,

170

sem nem se despedir, e Cíntia ficou livre dele — eu esperava que para todo o sempre.

A pá de cal seria lançada sobre ele alguns dias depois, quando papai chegasse da rua com uma novidade:

— Me disseram que o Peixoto vive com uma amante mais velha do que ele.

Na hora, porém, para minha completa surpresa, a reação da Cíntia se voltou contra mim:

— Foi você! Tenho certeza de que isso foi coisa sua, seu moleque!

E se dirigiu aos meus pais, indignada, me apontando:

— Foi ele sim! Ele não gosta do Peixoto, eu sei disso!

Eu não podia mais de emoção, petrificado diante de palavras tão duras. Eu, o seu namorado inconfesso, chamado de moleque! Meus pais reagiram cada um à sua maneira: mamãe fazendo um ar de perplexidade que escondia a indecisão entre acreditar ou não dar ouvidos, papai se pondo a rir:

— Se foi coisa do Fernando, foi um malfeito bem feito.

E ainda teve o bom humor de acrescentar, ele que também não gostava do Peixoto:

— Acho que foi coisa é do cachorro...

Cíntia tinha ido para o seu quarto, ainda revoltada com o que havia acontecido. O desastre, afinal, se voltara contra mim — o mundo parecia **ter** desabado sobre a minha cabeça.

Naquela noite fui para a cama mais cedo, pretextando um mal-estar qualquer. Mas não consegui dormir. Sem deixar que o Toninho percebesse, passei grande parte da noite chorando.

NA MANHÃ seguinte encontrei debaixo de minha porta um envelope fechado. Abri-o ansiosamente com o meu canivetinho, já adivinhando de quem seria. Retirei um pequeno bilhete·

> Fernando
> Eu te amo
> Me perdoa

Saí do quarto precipitadamente, mas não encontrei a Cíntia na sala, nem em seu quarto, nem em lugar nenhum. Dei com meu pai na copa tomando o seu café:

— Cíntia foi embora? —perguntei, aflito.

— Ela saiu — ele informou tranqüilamente, **e** acrescentou logo, rindo: — Mas não com o Peixoto. Saiu com sua mãe, foram fazer compras na cidade.

Cíntia estava de partida na manhã seguinte. Não tive, desde então, oportunidade de estar com

172

ela a sós um momento sequer, para de alguma maneira responder ao seu bilhete. Quando fui para a escola, ela ainda não tinha chegado, e ao voltar, ela estava em companhia de algumas amigas que havia feito em Belo Horizonte, e que ficaram para jantar. Só na manhã seguinte pude lhe dirigir uma palavra furtiva, já na hora de sua partida:

— Eu também, Cíntia — disse-lhe baixinho.

— Você também o quê? — e ela se curvou para me abraçar, se despedindo.

Deu-me um beijo em cada face, e eu me aproveitei para sussurrar ao seu ouvido:

— Eu também te amo.

Ela ficou parada um segundo, surpreendida, e depois se abriu num sorriso que eu guardo até hoje entre as lembranças mais lindas da minha vida.

Depois que ela se foi, tranquei-me no quarto e busquei seu bilhete para relê-lo ainda uma vez, por entre as lágrimas que me escorriam dos olhos. Ao enfiar os dedos no envelope, puxei com o bilhete um outro pedaço de papel, onde, surpreso, dei com as seguintes palavras:

li ontem, não foi?
te chamar de moleque.
Cíntia

Era apenas um pedaço do bilhete, que eu havia

173

cortado em dois ao abrir o envelope. Juntei os pedaços e pude enfim ler o bilhete completo:

> Fernando
> Eu te amolei ontem, não foi?
> Me perdoa te chamar de moleque.
> Cíntia

NAQUELA mesma tarde a Mariana, que andava sumida, deu o ar de sua graça:

— Então, sua amiguinha já foi embora? — perguntou com voz irônica.

Respirei fundo, espantando de mim o resto da minha mágoa:

— Minha amiguinha é você, Mariana.

174

CAPÍTULO X

A LIBERTAÇÃO DOS PASSARINHOS

Da JANELA do meu quarto, vi na mangueira uma linda manga sapatinho completamente amarela de tão madura. Uma rolinha, pousada no galho, ameaçava começar a comê-la.

Chamei a atenção da Mariana, ali a meu lado:

— Olhe só uma coisa.

Eu tinha resolvido dar aquela manga de presente para ela. Tirei de um dos bolsos da calça o meu bodoque, do outro algumas pedrinhas, escolhi a mais jeitosa, armei o bodoque, fiz pontaria e atirei.

Desde que era escoteiro, tinha aprendido que só devia usar o bodoque para praticar o bem, como apanhar manga. Nunca para quebrar vidraça ou lâmpada de rua, e muito menos matar passarinho. Costumava armar uma pequena arapuca no fundo do quintal para apanhá-los e depois tornar a soltar, mesmo que fosse um precioso canário ou um lindo sabiá: meu pai não admitia criar passarinho em gaiola, achava uma perversidade. E tinha me transmitido esse seu sentimento:

— Imagine se fizessem o mesmo com você: te criassem dentro de uma gaiola.

Quando o Toninho apareceu lá em casa com um casalzinho de periquitos verdes, que ele tinha trocado com um menino pelos seus patins, papai mandou imediatamente que soltasse os bichinhos:

— Depois te dou outro par de patins. De bichos aqui em casa, basta um papagaio, um cachorro e um coelho. Não se falando nas galinhas ali do seu Fernando.

Fazia alusão à minha galinha Fernanda, que por essa ocasião já tinha morrido de velha. E arrematou:

— Isso de passarinho em gaiola é coisa desse soldado aí do lado.

O soldado a que ele se referia com aquele ar de desprezo era o major Alberico Pape Faria, que morava na casa à direita da nossa. Mal sabia eu que em breve esse major estaria em guerra declarada conosco. Ou nós com ele: não se sabe quem nasceu primeiro, o ovo ou a galinha — no caso, o passarinho.

TUDO parece ter começado no dia em que a Mariana e eu estávamos no nosso posto de observação, nos últimos galhos da goiabeira junto ao muro que dava para a rua, entregues a uma de nossas distrações prediletas: jogar água nos que passavam lá fora, na calçada. Usávamos uma velha seringa de borracha, encontrada no quarto de despejo, e cuja serventia anterior não sabíamos qual tivesse sido. Chegamos ao requinte de prender numa forquilha a nosso lado um balde cheio d'água, para remuniciar a nossa arma, e não precisar de ficar descendo e subindo o tempo todo.

— Vem gente — anunciava Mariana, de sentinela, recolhendo depressa a cabecinha, como o cuco de um relógio suíço, e dando lugar a meu braço com a seringa. Era um esguicho só. Jamais deixava de passar um grande susto na pessoa lá na rua, mesmo que fosse atingida apenas por alguns respingos.

Não era fácil acertar de cheio. Quando isso acontecia, o coitado saía completamente encharcado. Então despencavamos da goiabeira e íamos em disparada para dentro de casa. Ficávamos na sala, como se já estivéssemos ali longo tempo, empenhados numa distração inocente qualquer, ao alcance da vista dos mais velhos, para enfrentar uma possível reclamação da vítima.

A primeira que veio reclamar foi justamente o major Pape Faria.

O homem havia tomado um verdadeiro banho. Mal pudemos esconder o riso quando o vimos entrar, molhado como um pinto por um esguicho que lhe havia encharcado a farda pelas costas, da cabeça ao calcanhar. Veio reclamar do meu pai, água ainda escorrendo e pingando no chão:

— Olha só o que o diabo do seu filho me fez.

Meu pai o olhou, espantado:

— Onde é que o senhor se molhou assim?

— Onde é que eu me molhei? — respondeu o major, furioso: — Pergunte ali ao seu filho! Foi esse diabo que me molhou.

— Meu filho não é diabo, e está aqui na sala um tempão, brincando com a amiguinha dele.

— Eu conheço muito bem tanto ele como essa amiguinha dele. Foram os dois juntos. Mas isso não vai ficar assim.

— Nem um nem outro arredou pé daqui um instante sequer. Como é que podem ter jogado água no senhor?

— Podem porque eles são capazes disso e de muito mais. Sei lá se o que me jogaram foi só água? Pode perfeitamente ter sido coisa muito pior.

O major passava a mão nas costas molhadas e levava ao nariz:

— Ainda bem que não está cheirando. Mas boa coisa é que esse menino não é.

Meu pai se encrespou:

— Pode até não ser, mas não admito que o

senhor venha à minha casa para falar mal de meu filho.

E se adiantou, abrindo a porta para que o major se pusesse para fora da nossa casa. Ao se despedir, além de rebaixá-lo de posto, ainda errou o nome dele:

— Passe bem, capitão Patifaria.

Mariana e eu não resistimos e soltamos uma gargalhada lá da sala. O major ficou furibundo:

— Patifaria não: PAPE FARIA! Patifaria foi o que aqueles dois me fizeram. Fique sabendo que meu nome é Alberico Pape Faria, major do exército e não capitão. E fique sabendo também que serei tenente-coronel antes do fim do ano. Isso não vai ficar assim.

Com esta última ameaça, deu meia-volta e, depois de fazer para mim um sinal com a mão de quem diz "você me paga", saiu marchando com passo duro.

Estava declarada a guerra.

179

— Capitão Patifaria! — gritávamos, toda tarde, ao passar em frente à casa dele. Tocávamos a sineta, sacudindo o portão, e saíamos correndo. Às vezes papai ouvia, mas, em vez de zangar, achava graça. Mamãe ficava preocupada:

— É melhor a gente chamar a atenção desses meninos. O major pode ser antipático, mas eu sei muito bem de que meu filho é capaz, se começar a implicar com ele. Isso ainda acaba mal. O homem é importante, pode nos prejudicar.

— Importante lá para os soldados dele — retrucava meu pai tranqüilamente: — Sou paisano e ele que cuide de sua importância, que de meu filho cuido eu.

Até que um dia, quando gritávamos "capitão Patifaria!" debaixo da janela dele, sem que o major aparecesse como sempre, e antes que sacudíssemos o portão tocando a sineta, senti de súbito uma mão pesada me segurar pelo ombro. Mariana o viu primeiro e fugiu correndo, a gritar:

— Cuidado, Fernando! Corre também!

Era tarde. Voltei-me e dei de cara com o major, mãos estendidas para me agarrar pelo pescoço, talvez até me estrangular. Dei uma ginga de corpo como costumava fazer no futebol. Ele avançou por um lado, eu escapuli por outro. Ele ainda me acertou um violento cascudo no alto da cabeça, antes que eu conseguisse fugir com quantas pernas tinha.

— Isso não vai ficar assim! — repeti de longe
a sua ameaça, quando me vi a salvo.

E REALMENTE não ficou. Juntei-me à Mariana
para tramarmos uma vingança à altura do cascudo
que ele me tinha dado e que me deixou com dor de
cabeça o dia inteiro.

Naquela mesma noite, antes de nos recolher-
mos, esticamos um arame do poste de luz na calçada ao portão da casa dele, para que ele tropeçasse
quando fosse sair. No dia seguinte ficamos sabendo
que isso tinha mesmo acontecido, pois o vimos
passar com o nariz esborrachado como uma goiaba
bichada, e na testa uma cruz de esparadrapo que a
aba do quepe não chegava a ocultar.

Alguns dias depois, foi a vez do major. Eu estava com alguns amigos jogando futebol na rua, quando a bola caiu no jardim da casa dele. Era domingo, dia de nenhum movimento, e não nos dávamos ao trabalho de ir jogar no campinho de peladas do lote vazio, que era inclinado e não plano como o asfalto em frente à nossa casa.

— E agora? — nos entreolhamos, sem saber o que fazer, com medo do major.

Resolvemos escalar o Turcão, que era o mais forte de todos, para ir buscar a bola: ele era o que corria menos risco de levar um cascudo do homem.

— Pede licença com delicadeza — avisamos ainda.

Em pouco o Turcão voltava, com lágrimas nos olhos:

— Olha só o que ele fez com a sua bola, Fernando.

E mostrou-nos a bola reduzida a tiras de couro, toda cortada a navalha.

— Por que você não meteu a mão na cara dele? — protestamos, indignados.

— Eu? — e o Turcão fez um ar de quem, mesmo sendo grandalhão, não era nada bobo: — O homem estava com um revolvão deste tamanho na cintura!

Guerra é guerra — agora era a nossa vez de agir.

Com a intenção de articularmos o próximo

lance, convoquei a Mariana para uma reunião em meu quarto. Depois de pensarmos e repensarmos vários planos, foi que eu me debrucei na janela e vi a tal manga madura.

Esquecido por um instante do major Pape Faria e suas patifarias, resolvi oferecê-la à Mariana, que era louca por manga, derrubando-a com uma certeira bodocada. O que para mim era fácil: bastava acertar um pouco acima, no cabo que a prendia ao galho, para que a pedra não a machucasse, atingindo a polpa, como aquela rolinha estava quase fazendo...

A pedra partiu zunindo, realmente certeira, mas a rolinha é que tombou, atingida na cabeça.

MARIANA e eu nos olhamos, estarrecidos: matar um passarinho! Para nós, como disse, aquilo era um pecado imperdoável. A coisa mais bonita que Deus havia feito! Quem magoasse uma daquelas criaturinhas era como se fizesse mal a uma criança, não merecia salvação.

Então nos precipitamos até o quintal, para ver se a rolinha não estaria apenas machucada, talvez houvesse tempo de salvá-la.

Não havia. Estava morta, caída ao chão, asas semi-abertas, a cabeça tombada para baixo, ensangüentada. Segurei nas mãos o seu corpinho ainda quente, como se pudesse preservar nele um resto de vida.

— E agora? — perguntou Mariana, impressionada.

— Não adianta: está morta mesmo.

Foi então que me veio, não sei por que, uma idéia maldita, diabólica, como uma tentação soprada do próprio inferno:

— Agora só serve para comer.

Não sei por que disse aquilo, e com tanta naturalidade. Não me espantei nem um pouco quando Mariana perguntou, com mais naturalidade ainda:

— Você sabe preparar?

— Sei. É só depenar e limpar, como a Alzira faz com as galinhas. Depois a gente acende uma fogueirinha e assa no espeto.

E comecei a arrancar as penas da rolinha morta, uma por uma. Estava difícil, pois não me lembrei que era preciso antes mergulhar em água bem quente. Acabei deixando esta parte para depois:

— Vamos primeiro limpar por dentro.

No fundo, eu talvez estivesse querendo ver como era por dentro um passarinho. E Mariana, a meu lado, olhos bem atentos, parecia partilhar da minha curiosidade. Abri a barriga da rolinha com o canivetinho e comecei a retirar com o dedo tudo que havia lá dentro, como se fosse o recheio de uma boneca. Só que era uma matéria mole, viscosa, molhada de sangue, que começou a me causar

184

o maior nojo, senti vontade de vomitar. Até que no meio de tudo aquilo, surgiu um pedaço de carne compacto, do tamanho da ponta do meu dedo, era o coração dela. Mostrei para Mariana, não podendo mais de emoção: as lágrimas me escorreram pelo rosto. Mariana também chorava, baixinho, de pena da rolinha, ou por me ver chorando, não sei bem — o certo é que nós dois nos entregávamos a uma crise de choro incontrolável.

— E agora? — Mariana balbuciou, entre soluços.

— Vamos enterrar — decidi, enxugando o rosto e procurando conter o choro.

Ela foi correndo à sua casa, enquanto eu abria uma pequenina cova na terra úmida, junto ao tronco da mangueira. Em pouco estava de volta, trazendo uma caixa de sabonete Araxá vazia e ainda perfumada. Recolhemos dentro dela, em respeitoso silêncio, os restos mortais da rolinha, fechamos a tampa com cuidado e depusemos dentro da cova, com gestos lentos que já obedeciam a um grave ritual. Tampamos com terra, e fizemos um montinho de pedras em forma de túmulo, no qual espetamos uma cruz de dois paus de fósforo amarrados com linha. Depois fizemos o nome-do-padre e rezamos um padre-nosso e uma ave-maria pela alma da rolinha.

NAQUELA noite não pude dormir (no dia seguinte saberia que o mesmo aconteceu com Mariana). Sentia que fizera algo de terrível, sujo e pecaminoso. Não por ter matado um passarinho. Aquilo acontecera sem eu querer, Deus era testemunha. A minha culpa era de haver profanado o seu cadáver, com a intenção de comê-lo. Como se eu fosse um selvagem, um animal!

Foi então que me ocorreu a idéia que concederia o perdão por aquela falta aparentemente imperdoável: praticar uma boa ação para compensá-la.

Quando contei a idéia à Mariana, demos saltos de alegria ao descobrir que a boa ação, por nós logo tramada, seria ao mesmo tempo o esperado troco ao major Pape Faria, pela patifaria que havia cometido cortando a minha bola.

Ao dizer que passarinho preso era "como esse soldado aí do lado", meu pai estava se referindo aos passarinhos que o vizinho criava, não só em gaiolas na varanda da casa, como no imenso viveiro ao fundo de seu quintal.

Esse viveiro sempre foi um de meus deslumbramentos: pintassilgos, tico-ticos, canários, sanhaços, periquitos, bicos-de-lacre e mil outros passarinhos se confundiam ali dentro em constante agitação. Eu subia no muro e ficava horas a olhar aquela passàrinhada toda revoando lá dentro, em busca de uma saída, alguns empoleirados pelos cantos, tristes porque não podiam mesmo escapar. E me dava vontade de soltá-los.

Era o que iria fazer agora.

A sociedade secreta Olho de Gato foi reativada, para o cumprimento daquela perigosa operação. Estenderíamos agora a natureza de suas atividades ao campo das missões subversivas. Deixamos, entretanto, de convocar os agentes Hindemburgo e Pastoff, pois, em se tratando de passarinhos, não sabíamos se atuariam conosco para soltá-los ou para comê-los.

A operação ficou marcada para aquela noite. Como precaução, armei-me do bodoque e do revólver de espoleta.

Sair de casa depois que todos houvessem dormido não nos foi difícil: já tínhamos feito aquilo mais de uma vez.

Nos encontramos no quintal e, sem uma palavra, pulamos o muro do vizinho. O que também nos foi fácil: subíamos e andávamos pelos muros como gatos — e por sinal que encontramos mais de um por ali naquela noite. Parece que farejavam a novidade, e queriam ver se sobrava alguma coisa para eles, os assassinos.

Atravessamos como duas sombras o jardim do vizinho, passando por cima dos canteiros com cuidado para não fazer barulho. Subimos primeiro à varanda e abrimos uma a uma as gaiolas ali dependuradas. Alguns passarinhos acordavam espantados e fugiam logo. Outros custavam a entender o que se passava, tinham de ser retirados com a mão e atirados no ar para sair voando.

Depois retrocedemos até o quintal e fomos libertar os do viveiro. O que não foi tão fácil: a porta era presa por um cadeadinho que tive de arrebentar, com o auxílio de uma pedra.

— Cuidado, Fernando — Mariana me sussurrava ao ouvido, assustada: — Você está fazendo muito barulho...

Aberta finalmente a porta, para que a passarinhada saísse logo, tive de entrar eu próprio no viveiro e espantá-la com os braços em direção à saída. Numa revoada em torno da minha cabeça, batendo as asas e entre cantos e chilreios, eles iam escapando.

Foi quando ouvi a voz ansiosa da Mariana lá fora, montando guarda:

— Perigo à vista! Esconde depressa!

Vi que uma luz se acendera no andar superior da casa. Uma cabeça apareceu. Logo surgiu o cano de uma carabina, ouviu-se um estampido, uma fumacinha, e alguma coisa passou assobiando pelo meu ouvido. Atirei-me ao chão, puxando imediatamente o meu revólver de espoleta e atirando também, uma, duas vezes. O cano da carabina e a cabeça do major imediatamente sumiram, a luz se apagou.

— Psiu, fique quieta — soprei para Mariana, que se deitara no chão, a meu lado, junto à porta do viveiro. Eu sabia que agora ele estava de volta à janela, no escuro, para nos surpreender fugindo, pronto a atirar de novo.

Tínhamos de escapar dali de qualquer maneira. Lembrei-me do bodoque, que havia trazido também. Assim mesmo deitado, armei-o com uma pedra das maiores, fiz pontaria na sineta do portão, além do jardim, iluminado pela luz da rua, e atirei. A pedra partiu zunindo e acertou em cheio no alvo: a sineta começou a tocar, como se alguém sacudisse o portão.

Consegui enganar o inimigo: logo o vulto do major surgia na varanda, esgueirando-se junto à parede, curvado para a frente, carabina engatilhada, e descendo a escada furtivamente a caminho do portão.

— Agora — ordenei baixinho para Mariana.

Partimos em disparada e pulamos o muro, voltando para o quintal de minha casa. Respiramos, aliviados, e nos despedimos, indo cada um para sua casa antes que começasse a confusão.

Que não demorou muito. O major pôs-se a gritar por socorro, dizendo que estava sendo assaltado. Um guarda-noturno da Praça da Liberdade ouviu a gritaria, chamou seus colegas, avisou a polícia inteira. Vieram até a Polícia Militar e a do Exército, pois o assaltado era um oficial. Em poucos minutos a nossa rua virava uma praça de guerra. O major contou que os assaltantes, surpreendidos por ele no quintal, haviam reagido com um tremendo tiroteio, por pouco ele não morreu. Como eram muitos, conseguiram fugir, levando consigo o produto do assalto, isto é, todos os exemplares de sua preciosa criação de passarinhos.

— Vale uma verdadeira fortuna! — afirmava, enfurecido.

TUDO isso, é lógico, ficamos sabendo no dia seguinte, ao escutar, com ar inocente, os comentários dos mais velhos. Para que não desconfiassem de nós, achamos prudente nos afastarmos dali. E fomos nos refugiar no porão. Quando nos viu passar, Godofredo pôs-se a papagaiar, entusiasmado:

— Bravos, Fernando! Bravos, Mariana!

O papagaio vibrava com a nossa façanha. Como é que ele soubera?

— Esse camarada ainda vai acabar nos entregando — falei, preocupado.

E sugeri a Mariana que passássemos alguns dias sem nos vermos. Mas antes, ao entardecer daquele mesmo dia, fomos de mãos dadas fazer uma visita ao túmulo de nossa desventurada rolinha, junto à mangueira do quintal. Como homenagem à sua memória, fizemos a ela a oferenda do nosso feito, libertando seus irmãozinhos.

E estávamos ali, banhados pela luz cor-de-rosa do belíssimo pôr-do-sol de Belo Horizonte, quando uma coisa maravilhosa aconteceu. Como se brotassem do céu, bandos e bandos de passarinhos de vários tamanhos e mil cores diferentes, vindos de todos os lados, se agrupavam no ar, em alegre revoada, até formar um verdadeiro enxame de asas em formação cerrada. E vieram todos para o nosso lado, voando em círculos cada vez menores e mais baixos, em meio a uma sinfonia de cantos, chilreios e trinados, centralizando-se em cima de nossas cabeças. Rodopiavam no ar como uma guirlanda de pequeninos seres alados, girândola vinda do céu para nos abençoar com a sua gratidão. Rodaram várias vezes e depois o círculo se desfez, e seguiram todos em linha reta, afastando-se como uma nuvem multicor até desaparecer em direção ao infinito.

O HOMEM E O MENINO

PARO de escrever, levanto os olhos do papel para o relógio de parede: cinco horas. As sonoras pancadas começam a soar uma a uma, como antigamente em nossa casa.

É um relógio bem antigo. Foi do meu avô, depois do meu pai, hoje é meu e um dia será do meu filho. Seu tique-taque imperturbável me acompanha todas as horas de vigília o dia inteiro e noite adentro, segundo a segundo, do tempo vivido por mim.

Já contei várias proezas, aventuras, peripécias, tropelias (e algumas lorotas) do tempo em que eu era menino. Nada se compara ao mistério que eu trouxe da infância e que até hoje me intriga: quem era aquele desconhecido que um dia, depois da chuva, foi conversar comigo no fundo do quintal?

Na hora pensei que fosse algum amigo da família, ou até parente: um velho primo ou tio que eu não conhecesse. Cheguei, mesmo, a achar que ele se parecia um pouquinho com meu pai — mas foi só impressão: quando perguntei quem ele era, papai me disse que não tinha a menor idéia, pois nem chegou a vê-lo. Minha mãe também não soube dizer, muito menos o Gerson ou o Toninho. A Alzira se limitou a dizer que me tinha visto conversando sozinho, como eu fazia sempre.

Só restava perguntar ao Godofredo, mas o papagaio não queria saber de conversa comigo: seu entusiasmo pela nossa façanha libertando os passarinhos já havia passado.

Hindemburgo e Pastoff talvez pudessem esclarecer alguma coisa, pois me haviam visto conversando com ele. Mas não sabiam falar, como o Godofredo, nem mesmo responder com sinais, como a Fernanda, que infelizmente já havia morrido. E que é que uma galinha poderia saber a respeito de um homem, de cuja existência os outros até duvidavam?

E não fiquei sabendo, e até hoje me pergunto: quem seria ele?

Cansado de tantas recordações, afasto-me do relógio e caminho até a janela, olho para fora.

Assombrado, em vez de ver os costumeiros edifícios, cujos fundos dão para o meu apartamento em Ipanema, o que eu vejo é uma mangueira — a mangueira do quintal de minha casa, em Belo Horizonte. Vejo até uma manga amarelinha de tão madura, como aquela que um dia quis dar para a Mariana e por causa dela acabei matando uma rolinha. Daqui da minha janela posso avistar todo o quintal, como antigamente: a caixa de areia que um dia transformei numa piscina, o bambuzal de onde parti para o meu primeiro vôo. Volto-me para dentro e descubro que já não estou na sala cheia de estantes com livros do meu apartamento, mas no meu quarto de menino: a minha cama e a do Toninho, o armário de cujo espelho um dia se destacou um menino igual a mim...

Saio para a sala. Vejo meus pais conversando de mãos dadas no sofá, como costumavam fazer todas as tardes, antes do jantar. Comovido, dirijo-me a eles:

— Papai... Mamãe...

Mas eles não me vêem. Nem parecem ter-me ouvido, como se eu não existisse. Ganho o corredor, passo pela copa onde o relógio está acabando de bater cinco horas. Atravesso a cozinha, vendo a

Alzira a remexer em suas panelas, sem tomar conhecimento da minha existência. Desço a escada
para o quintal e dou com um garotinho agachado
junto às poças d'água da chuva que caiu há pouco,
entretido com umas formigas. Dirijo-me a ele, e
ficamos conversando algum tempo.

Depois me despeço e refaço todo o caminho de
volta até meu quarto. Vou à janela, olho para fora.
O que vejo agora é a paisagem de sempre, o fundo
dos edifícios voltados para mim, iluminados pelas
luzes do entardecer em Ipanema. Ouço o relógio
soando a última pancada das cinco horas. Viro-me,
e me vejo de novo no meu apartamento.

Caminho até a mesa, debruço-me sobre a máquina que abandonei há instantes. Leio as últimas
palavras escritas no papel:

... *até desaparecer em direção ao infinito*.

Sento-me, e escrevo a única que falta:

F I M

FERNANDO *(Tavares) Sabino nasceu em Belo Horizonte, a 12 de outubro de 1923. Fez o curso primário no Grupo Escolar Afonso Pena e o secundário no Ginásio Mineiro, em Belo Horizonte. Aos 13 anos escreveu seu primeiro trabalho literário,* Uma Ameaça de Morte, *conto policial, publicado numa revista da Polícia Mineira.*

Passou a escrever crônicas sobre rádio, com que concorria a um concurso permanente da revista Carioca, *do Rio de Janeiro, obtendo vários prêmios. Matriculou-se na Faculdade de Direito em 1941, terminando o curso em 1946 na Faculdade Federal do Rio de Janeiro.*

Ainda na adolescência, publicou seu primeiro livro, Os Grilos Não Cantam Mais *(1941), de contos. Mário de Andrade escreveu-lhe uma carta elogiosa, dando início à preciosa correspondência entre ambos. Anos mais tarde publicaria as cartas do escritor paulista em li-vro, sob o título* Cartas a um Jovem Escritor *(1982), acrescidas em 2003 de* "E suas Respostas". *Em 1944 publica a novela* A Marca *e muda-se para o Rio. Em 1946 vai para Nova York, onde fica dois anos, com preciosa iniciação na leitura dos escritores de língua inglesa. Neste período escreveu crônicas semanais sobre a vida americana para jornais brasileiros, várias reunidas em seu livro* A Cidade Vazia *(1950), acrescido em 1976 da premonitória reportagem* Medo em Nova York.

Iniciou ali o romance O Grande Mentecapto, *que só viria retomar 33 anos mais tarde, para terminar em 18 dias e lançá-lo em 1976, conquistando verdadeira consagração nacional, com sucessivas edições (Prêmio Jabuti para Romance, São Paulo, 1980). Em 1989 o livro serviria de argumento para um filme de sucesso, estrelado por Diogo Vilela, sob a direção de Oswaldo Caldeira.*

Em 1952 lança o livro de novelas A Vida Real, *no qual aprimora sua técnica em novas experiências literárias, e em 1954* Lugares-Comuns, Dicionário de Lugares-Comuns e Idéias Convencionais, *como complemento à sua tradução do dicionário de Flaubert. Com* O Encontro Marcado *(1956), primeiro romance, Fernando Sabino abre à sua carreira um caminho novo dentro da literatura nacional.*

Morou em Londres de 1964 a 1966. Tornou-se sócio de Rubem

Braga como editor (Editora do Autor, 1960, e Editora Sabiá, 1967). Seguiram-se os livros de contos e crônicas O Homem Nu *(1960)*, A Mulher do Vizinho *(1962)*, *Prêmio Fernando Chinaglia do Pen Club do Brasil)*, A Companheira de Viagem *(1965)*, A Inglesa deslumbrada *(1967)*, Gente I e II *(1975)*, Deixa o Alfredo Falar! *(1976)*, O Encontro das Águas *(1977)*, A Falta que Ela me Faz *(1980)*, O Gato Sou Eu *(1983)*. *Com eles reafirmou suas qualidades de prosador, capaz de explorar com fino senso de humor o lado pitoresco ou poético do dia-a-dia, colhendo de fatos cotidianos e personagens obscuros verdadeiras lições de vida, graça e beleza.*

Viajou várias vezes ao exterior, visitando países da América, da Europa, da África e do Extremo Oriente e escrevendo sobre sua experiência em crônicas para jornais e revistas. Passou a dedicar-se também ao cinema, realizando em 1972, com David Neves em Los Angeles, uma série de minidocumentários sobre Hollywood para a TV Globo. Funda a Bem-te-vi Filmes, produzindo, com David Neves e Mair Tavares sob sua direção, curtas-metragens sobre feiras internacionais em Assunção (1973), Teerã (1975), México (1976), Argel (1978) e Hannover (1980). Dirigiu ainda a série "Literatura Nacional Contemporânea", documentários sobre 10 dos maiores escritores brasileiros da atualidade: Carlos Drummond de Andrade, Vinicius de Moraes, João Cabral de Melo Neto, Manuel Bandeira, Érico Veríssimo, Jorge Amado, João Guimarães Rosa, Pedro Nava, José Américo de Almeida e Afonso Arinos de Melo Franco.

Publicou ainda O Menino no Espelho *(1982), romance das reminiscências de sua infância;* A Faca de Dois Gumes *(1985), uma trilogia de amor, intriga e mistério;* O Pintor que Pintou Sete, *história infantil baseada em quadros de Carlos Scliar;* O Tabuleiro de Damas *(1998), "trajetória do menino ao homem feito" e* De Cabeça para Baixo, *em 1989, sobre "o desejo de partir e a alegria de voltar" — relato de suas andanças, vivências e tropelias pelo mundo afora... Em 1990 lançou* A Volta por Cima, *coletânea de crônicas e histórias curtas. E em 1991 a Editora Ática publicou uma tiragem de 500 mil exemplares de sua novela* O Bom Ladrão, *um recorde editorial no mundo inteiro. No mesmo ano é lançado seu livro* Zélia, uma Paixão, *biografia romanceada da ex-ministra da Economia Zélia Cardoso de Mello. Em 1993 publicou* Aqui Estamos Todos Nus, *uma trilogia de emocionantes novelas, lançadas também em separado pela Editora Ática:* Um Corpo de Mulher, A Nudez da Verdade *e* Os Restos Mortais. *Em 1994 foi editado pela Record* Com a Graça de Deus – *"leitura fiel do Evangelho inspirada no humor de Jesus". Em 1996 relançou, em edição revista e aumentada,* De Cabeça Para Baixo, *relato de suas viagens pelo mundo afora, e* Gente, *encontro do autor ao longo do tempo com as grandes figuras que vivem "na cadência da arte". Também em 1996, a Editora Nova Aguilar publicou em 3 volumes a sua Obra Reunida. Em 1998 a Editora Ática lançou, em separado, a novela* O Homem Feito, *do livro* A Vida Real, *e* Amor de Capitu, *recriação literária do romance* Dom Casmurro, *de Machado de Assis. E ainda em 1998, além de* O Galo Músico, *"contos e novelas da juventude à maturidade, do desejo ao amor", a Record editou o livro de crônicas e histórias* No Fim Dá Certo – *"se não deu certo é porque não chegou ao fim". Em 1999 Fernando Sabino foi agraciado com o Prêmio Machado de Assis da Academia Brasileira de Letras pelo Conjunto de Obra. No mesmo ano a Editora Record lançou a* Chave do Enigma, *de crônicas e histórias (Prêmio Álvaro Moreyra da União Brasileira de Escritores e Academia Carioca de Letras), contendo, além de excelentes criações literárias, a solução do mistério do que é ser mineiro ("consiste em não tocar neste assunto"). Em 2001 o autor reuniu em* Livro Aberto *as suas "páginas soltas ao longo do tempo", e em* Cartas Perto do Coração, *sua correspondência com Clarice Lispector. Em* Cartas na Mesa, *apresentou em 2002 as que enviou aos seus melhores amigos da vida inteira Hélio Pellegrino, Otto Lara Resende e Paulo Mendes Campos.*

Durante sua estada em Nova York em 1946 o então jovem escritor produziu secretamente o romance Os Movimentos Simulados, *cujos originais trouxe consigo de volta ao Brasil, e conservou-o inédito, para enfim publicá-lo em 2004, literalmente como foi concebido há quase 60 anos.*

Impresso no Brasil pelo
Sistema Cameron da Divisão Gráfica da
DISTRIBUIDORA RECORD DE SERVIÇOS DE IMPRENSA S.A.
Rua Argentina 171 – Rio de Janeiro, RJ – 20921-380 – Tel.: 2585-2000